TON ANBEEK

VAST

Uitgeverij Podium · Amsterdam

ISBN 978 90 5759 199 0

Verspreiding voor België: Van Halewyck, Leuven

www.uitgeverijpodium.nl

Stemmen

Bij het opstaan breekt meteen de pleuris uit op de afdeling. Hamid grijpt het hoogste woord. Hij is betrapt door de nachtdienst. Roken, dus dubbel fout want roken op de kamer plus wiet. Hele kamer stinkt naar wiet, heeft de bewaking geconstateerd. Maar dat is toch geen bewijs, hun ruiken de putlucht uit hun eigen bek die naar bedorven varkensvlees stinkt, klerelijers. Bovendien, gisteravond zijn haar gewassen met de shampoo die hij van zijn zus heeft gekregen, kamille of zoiets. Dat blijft hangen, begrijp je?

Hamid is de leider, dat zie je zo. Hij draagt als enige van de mokro's zijn haar niet als een matje boven op zijn kop, zijkanten kaal geschoren; bij hem staat het recht overeind, de kuif van het haantje. Hij wil zijn advocaat bellen, nu meteen. Iedereen heeft recht op de rechten van de mens waarin staat dat iedereen onschuldig blijft zolang de schuld niet bewezen is. Wettig en overtuigend bewezen, hij heeft het de rechter zelf horen zeggen. Zo is de wet en daarom eis ik een eerlijke behandeling. Nu.

Het is waar dat hij zijn haren gewassen heeft. Ze dansen verontwaardigd mee bij elk woord dat hij uitspuugt. We horen hem tekeergaan, verontwaardigd en kwaad op iedereen en de hele wereld. Hier is het laatste woord nog niet over gezegd, mensen. Hij is niet zomaar de eerste de beste bootvluchteling uit de binnenlanden van Afrika, hij heeft zelfs twéé paspoorten, allebei even geldig, dubbel recht op een rechtvaardige behandeling dus.

Zijn geklaag wordt overstemd door de stampmuziek en de ruzie die daar bij hoort, T-pain of Rammstein, muziek die klinkt of hij in holle gewelven diep onder de grond is opgenomen. Rammstein wint, Kevin de voetbalvechter (agent van paard getrokken en gesloopt; het paard stond er stom bij te kijken en hinnikte) krijgt dus een stevige duw van de Kaapverdiaan, die meer van een swingend ritme houdt. 'Hé, piemel, rot op jij.' De oudere groepsleider Kees komt ertussen: 'Zijn jullie helemaal van de pot getrokken?' En hij beslist: ruzie om die kankermuziek van jullie betekent helemaal geen muziek. Iemand moet hier de wijste zijn. De Kaapverdiaan kan zich niet inhouden en geeft het stervende televisietoestel een trap na. 'En jij, meteen weer naar boven. Time-out, tot je afgekoeld bent.' Kaapverdiaan protesteert dat hij móét eten, dokter zelf gezegd, ook hij kent zijn regels en rechten, 'anders ga ik in hongerstaking', Kees keert zich walgend af; gebaart naar de andere groepsleider, Nelson, dat hij dat ettertje maar naar z'n kamer moet brengen.

Een strak begin van de dag.

De Kaapverdiaan, het lijkt zo'n lief jongetje. Schattig kereltje met nog niet eens de baard in de keel, hertenogen, ieder kinderloos gezin zou hem zo willen adopteren om op de schoorsteen te zetten. Verdient beslist een betere toekomst dan z'n moeder helpen om bolletjes over de grens te smokkelen door veel kabaal te maken, de blauw afleiden. Ik haat hem, dat geniepig stuk glibberslijm. En altijd die witte trui.

Kees zakt aan de ontbijttafel neer, nu al uitgeput. Te oud voor dit werk. Groot en breed, maar slappe spieren, dat zie je zo. In het algemeen kan je beter niet tegen Kees praten vóór een uur of twaalf. Tegen enen wordt hij wat losser en om twee uur mag hij op de motor naar huis om in de tuin te werken. 'Zo, we hebben het weer overleefd,' zegt hij dan voor hij door de deur verdwijnt. Ooit beroepsmilitair geweest, je kan het je bijna niet voorstellen. Onderzeeër. Alleen als het urenlang rustig is gebleven wil hij er wat over vertellen. De stilte onder water. De keer dat boven Schotland de motor uitviel. *Das Boot* is natuurlijk zijn mooiste film, heeft-ie wel zes keer gezien. 'Oorlog?' Nee, gevechtshandelingen heb-ie persoonlijk nooit meegemaakt. 'We leven nu eenmaal in vredestijd, niet?' Je zou het niet zeggen als je naar zijn oog kijkt, dat zo nu en dan knippert of er een wesp in vloog. Je voelt hoe het leven hier hem tegenstaat, je ziet het aan de ijzige blik waarmee hij volgt hoe de voetbalvechter Kevin een tapijt van pindakaas over zijn zoveelste witte boterham legt.

'Wij Marokkanen zijn altijd de lul,' zegt Hamid, 'die vuile kankerkoppen van de wacht, hun moeten mij altijd hebben. Terwijl er hier anderen zijn —'

'Wie?' vraagt Kees, met zijn mond vol.

Hamid negeert hem. Hij verraadt niemand, is geen snitch. Kijkt ruziezoekend rond — de pedo duikt bijna onder de tafel —, vindt naast hem Brian, de zwakbegaafde. 'Spreek me niet tegen, teringlijer.'

'Ik zei niks.'

'Maar je keek fout.'

'Man, maak m'n hoofd niet zo moe.'

'Ik praat tegen je.'

Dan kijkt Brian op van zijn beschuit met hagelslag. Met deze Brian moet je oppassen. Zijn lontje is zo kort als de pik van de minister-president.

'Rustig, heren, rustig,' zegt Kees en pakt het witte pilletje dat naast zijn bord ligt, slikt het met een slok water weg. 'En dat in de vroege ochtend...'

Hamid zit nog steeds te sputteren en te kwetteren midden tussen de andere mokro's. De enige die rustig blijft is de nieuwe, Saïd heet-ie geloof ik. Hij kijkt het aan en laat het langs zich heen gaan, net als ik. Zou een vriend kunnen zijn, als je tenminste iemand zou kunnen vertrouwen, hier. Hij is in de plaats gekomen van Stanley, die half zelfstandig mag wonen of zoiets. Vakopleiding afmaken en dan de maatschappij in. Vreemde vogel. Maakte elke ochtend voorbeeldig zijn bed op, poetste plichtsgetrouw zijn tanden en telde altijd tot tien voor hij iemand een klap gaf — en dan sloeg-ie niet. De groepsleiders mochten hem omdat hij nooit bijdehand deed. Geen prater, nee. Het enige wat nog wel eens uit zijn mond droop wanneer je hem iets op de man af vroeg was: 'Ge-woon.' Daardoor miste je hem eerst nauwelijks, zoals een boom die opeens uit het straatbeeld verdwenen is. Omgehakt, weggesleept, opgeruimd. Het enige wat je miste was de knalgele plastic tas die hij altijd bij zich droeg. Schiphol-tas met in grote letters SeeBuyFly erop. Die kleuren zijn we nu dus kwijt.

Saïd komt naast me zitten en begint zomaar te praten, tegen mij. 'Ik blijf hier niet lang, weet je. Ik ga hier snel wegkomen, ik heb een plan. Ik ben gek op motoren, weet je.'

Ik zie aan de andere tafel de rafelige gestalte van Joop de Dope verschijnen. Het lijkt wel of hij elke nacht magerder wordt, het vlees smelt van zijn botten. Hij vangt mijn blik, steekt twee vingers op en drinkt in één keer een glas water leeg.

Als kind vond hij niks mooier, vertelt Saïd, dan een brommer helemaal uit elkaar halen. Dat echt elk onderdeel op de grond ligt. Kijken hoe het werkt. Je hoeft het niet eens te leren, weet je; openmaken en dan een voor een lospeuteren. Schoonwrijven met een oude doek en keurig op een rij leggen. 'Tot je echt he-le-maal niks overhebt. Het hoe heet dat...? Het skelet van een motor.' (Hij lacht). 'En dan zet je de hele handel weer in elkaar. Er ging wel eens wat mis, dat wel, zoals bij elke operatie.' Weer dat lachje en hij laat mij de wijsvinger van zijn linkerhand zien: stomper en kleiner

dan de andere. En als hij de hand omdraait: zonder nagel.
Ongelukje, lacht hij. Maar klein gebrek geen bezwaar. Toch?
Nu wordt hij serieus, het plan. Het plan is doodsimpel. Als
ze vragen: 'En wat wil jij worden, Saïd?' 'Monteur, maneer.
Altijd al willen worden. Dat vinden ze mooi. Loopbaan- hoe
heet het ook alweer? Oja, mijn loopbaantrrraject. Mijn loop-
baan-trrra-ject staat dus vast, steil omhoog. Hun meteen blij,
Saïd heeft zelf al een toekomst gekozen jongens, zijn loopbaantrrraject loopt steil omhoog. Iedereen paf. Maar' — hij
wijst om zich heen of hij het tegen een kind heeft — 'hier
zijn geen motoren. Nergens te zien. Ja, op de parkeerplaats,
maar daar mogen wij niet komen. Klein probleempje, dus
oplossen.'
    'Oplossing: Saïd overplaatsen naar een open inrichting.
Overdag motor sleutelen, 's avonds binnen. In Rotterdam
bijvoorbeeld. En dan,' hij fluistert en hangt nu bijna tegen
mij aan, ik hou daar niet zo van: 'En dan is Saïd pleite. Saïd
meteen naar de shoppa, Saïd lekker chillen. En dat loop-
baan-trrraject' — hij steekt zijn stompe vinger in de lucht —
'kunnen die homo's in hun eigen reet stoppen!'
    De bel gaat, de groepsleiders gaan ons bij de leslokalen
afleveren.
    Gedrang voor de glazen deur. Wachten tot andere groepen
weggebracht zijn. Tot elke prijs moet een ontmoeting tussen
twee groepen kankerschorem voorkomen worden. Niet alleen vanwege de fok-op's en snelle afrekeningen, ook mogen
de haantjes de chickies niet in zicht krijgen. De verschillende
groepen worden daarom zorgvuldig uit elkaar gehouden door
Control. Precies op de plek waar de twee lange gangen van de
benedenverdieping elkaar kruisen hangt een soort cockpit,
net of de stompe snuit van een Boeing zich dwars door het
platte dak van de inrichting heeft geboord. Een ronde kamer
waarvan de ruiten ondoorzichtig blijven. Soms denk je iets te

zien bewegen achter het donkere glas, een hand die groet of een hagelwit overhemd. De controlepost, kortweg Control. Volgens Joop de Dope woont God daar. Of robots die dag en nacht bezig zijn om brave burgers van ons te maken. Aliens ook. Hoe dan ook, Control moet zorgen dat er niemand onderweg naar het klaslokaal gewond of zwanger raakt.

Het duurt lang vandaag. Kees blaft in de intercom, die terugbrabbelt. De man, het is hem allemaal te veel, de groep begint onrustig te kronkelen. Hij telt de koppen nog eens en ontdekt dat er iemand ontbreekt. 'Wie?'

'Stanley!'

'Woont op kamerproject.'

'O ja.'

We weten allemaal wie er ontbreekt, maar ze zoeken het zelf maar uit.

Kees, zwetend, probeert ons op een rij te zetten wat de chaos vergroot. Dus begint hij te schreeuwen, gooit ons tegen de muur. 'Ik heb niks gedaan, ik ben er toch? Hoe kan ik dan — wij Marokkanen zijn altijd de lul. En rrraak me niet aan, ik ken de rechten, zeker weten.'

Het is Nelson, de nieuwe bewaker, die het ontdekt: 'De Kaapverdiaan!'

De Kaapverdiaan vergeten! De ogen van Kees slaan op tilt, aan zijn mond ontsnapt een knetterende vloek. 'Ga jij hem halen.' Hij geeft de sleutel aan Nelson, die de trap op rent.

De deur van het slot. 'Kom er maar uit.'

Het blijft stil. Doodstil.

Dan horen we iemand met hysterische uithalen huilen.

Kees maakt zich los uit onze groep.

Het janken gaat door, een aangeschoten beest. Of een cirkelzaag.

Kees terug, alleen.

'Izz-ie gewond?'

'Gaat je niks aan.'

'*Ik* heb hem anders niet opgesloten,' protesteert Hamids vermoorde onschuld.

'Jij moet helemaal je bek houden.'

'Nou-nou.'

'Hou je lip jij, wij rekenen later wel af.' Opnieuw moet de groepsleider contact zoeken met Control. Zijn hand trilt zo dat hij het magische plastic kaartje, waarvoor alle deuren wijken, bijna laat vallen.

Buiten in het gedrang op de gang raak ik Saïd kwijt, de jongen die zijn motor wil ombouwen tot vliegmachien. Waarom zocht hij contact? Misschien komt hij niet uit de bergen zoals de meeste mokro's hier maar uit de laagvlakte, waar ze Frans praten. Ik zou het hem kunnen vragen, maar daar moet je voor oppassen. Ze zijn al beledigd als je even naar ze kijkt, die druktemakers, en nog linker als je ze niet ziet staan.

We passeren Control, hoog en ondoorgrondelijk.

Maar zelfs Control heeft niet alles in de hand, want de leerkracht heeft zich ziek gemeld. Voorlopig niet inzetbaar, ziekteverlof. (Wie houdt het langer dan drie maanden uit met zo'n stelletje kutmongolen?)

Wéér wachten voor een glazen deur tot Control het sein 'veilig' geeft. Dan terug door steeds legere gangen, en vervolgens is er niets meer dan een afdeling die veel te klein wordt voor onze onvrede.

De Kaapverdiaan is er niet.

Het woord 'verpleegster' valt.

Wij jaloers, want de verpleegster, Anja, is een wat oudere vrouw, alles aan haar is rond. Open, eerlijk, altijd opgewekt. 'Het zijn schatten van jongens, echt — zolang je je tas maar niet open laat staan.' En dan begint ze zo schuddend te schateren dat je zelf meelacht. Sommige jongens krabben een wondje open om maar een uurtje in dat warme kamertje te mogen zitten. Ze kent ons, kijkt natuurlijk dwars door de kuren van de jankende Kaapverdiaan heen.

Wat jullie nodig hebben, zegt Ergün, de Turkse groepsleider die de mokro's Torkoe noemen, is structuur, regelmaat. En dat blijkt vandaag weer want nu de lessen uitvallen wacht verveling. Onze straf, dat is niet: opsluiting. De echte straf is dertien uur doorbrengen met één tafelvoetbaltafel, één pingpongtafel, een televisie die de hele dag te hard op TMF staat en elf ongerichte projectielen die allemaal net zo landerig zijn als jij. Hangjongeren die hun uren slijten in de portiek van een snackbar om voorbijgangers uit te dagen — maar dan zonder snackbar en mensen die voorbijkomen. Buiten altijd hetzelfde uitzicht van polder met grondmist en één keer in de twee uur roken op het balkon.

'Roken!' schreeuwt de voetbalvechter al voor de vierde keer.

Kees, een humeur als uitgedroogde zware shag, speelt voor dove. Hij telt natuurlijk de uren die hem scheiden van zijn tuin. Ook hij had zich de ochtend anders voorgesteld, wat papierwerk, tuincentra aflopen op de computer, om het kwartier een peuk in de plee voor de leiding.

Brian, zwakbegaafd, altijd hoofdpijn, is kwaad omdat twee mokro's voor de spelcomputer zitten. En gaat dus op zoek naar andere afleiding, een slachtoffer om wat tegenaan te slaan bijvoorbeeld. Wijdbeens, zwalkend als een zatlap in de hoop dat iemand hem geen respect betaalt. De junk? Nee, die gaat hij uit de weg, want junks zijn onvoorspelbaar. Zoveel verstand heeft hij nog wel in zijn loodzware hoofd, voor je het doorheb haalt zo'n gast een of ander wapen uit zijn fladderende mouwen. Dus met een grote boog eromheen. Als hij mij ziet, zelfde verhaal (een hele of halve Antilliaan, die worden met die mes geboren, dat weet je toch).

En dus wordt het de pedo, kinderlokker, het pispaaltje van

de groep. Altijd schichtig maar toch weer te laat om tussen twee tafels weg te kruipen. Frontale botsing met het logge lichaam. Verontschuldigingen helpen dan niet meer. 'Gaan we soms bijdehand doen?'

Wat volgt is zo voorspelbaar dat Joop niet eens opkijkt van het stripboek dat hij elke dag minstens drie keer giechelend overleest. Twee, drie klappen en de pedo ligt gestrekt. (Misschien heeft hij zich expres meteen laten vallen, zoals een voetballer om een penalty mee te krijgen.) Brian, nog kwaaier nu hij zijn woede niet kwijt kan, begint dan maar radeloos tegen het hoofd van het slachtoffer aan te trappen. Net zo lang tot iemand naar het kantoortje van de groepsleiding loopt, waar Kees net een mooi en betaalbaar model tuinstoel gevonden heeft en Nelson zich in de Bijbel verliest. Kreunend of hij zelf gewond is duwt Kees zich omhoog, sloft achter mij aan en begint pas te rennen als hij bloed ruikt. Grijpt Brian bij zijn oor, sleurt hem aan de oorschelp richting trap.

Het duurt even voor het tot dit topzware hoofd doordringt dat er aan hem wordt getrokken, dan trapt hij de spelbreker uit alle macht met de punt van zijn Nike tegen het scheenbeen. Voor de tweede keer deze ochtend ontsnapt een knetterende vloek aan de mond van de getergde groepsleider, gevolgd door een epidemie van tyfus-, kanker- en teringwoorden. Hij scheldt alles en iedereen stijf en ten slotte struikelt zijn tong over 'kutmarok-'

Het wordt heel stil op de afdeling.

Joop de Dope, met zijn fijne orgaan voor ongeregeldheden, heeft de televisie uitgezet om dit op te vangen.

Ze komen om Kees heen staan. Naast, voor en vooral achter hem.

De kutmarokka's kijken naar Hamid. Wachten op een teken; een hoofdknik, meer is niet nodig.

Dan roept Brian, teruggekeerd tot deze wereld: 'Maar ik

bén helemaal geen Marokkaan!' Verontwaardigd wrijft hij over zijn rooddoorlopen oor.

De pedo kruipt op handen en voeten onder de tafel uit en ontsnapt naar de keuken, een spoor van rode druppels achtervolgt hem.

Het is voorbij. Geen bende die vechtend en plunderend met het plastic kaartje van Kees als loper in de hand door het holle gebouw trekt, deur na deur springt gehoorzaam open, de meute groeit aan tot een onstuitbare moord en brand schreeuwende massa – de werkelijkheid neemt een andere weg, deze keer.

'De hele dag wordt er vandaag niet gerookt, ik zal het ook in het boek zetten,' roept Kees nog. Maar hij is er niet, lucht, ruis.

'Weet je wat die man nodig heeft?' zegt Hamid. 'Een cursus Agressie Regulatie Training, zo heet het toch?' Ze ginnegappen allemaal verplicht in hun gorgeltaal.

De spanning is voorbij, niemand probeert nog de lekke band op te pompen. Uitgeput zijn we nu al, afgemat door wat had *kunnen* gebeuren. Brian zit met zijn rug tegen de muur, armen om de knieën geslagen, z'n oor te koesteren. Hoofd verborgen, misschien huilt het. Z'n moeder slaat hem, maar daardoor houdt hij niet minder van 'r.

Een half uur later staan we alweer buiten op het balkon. Kees zit aan zijn beeldscherm gekleefd, dus is het Nelson, met de geheel herstelde Kaapverdiaan teruggekeerd van zuster Anja, die met de bak vol rookspullen rondgaat. Iedereen heeft z'n eigen shag plus vloeitjes. Per rookpauze één sigaret, nooit meer. De handen van Joop de Dope trillen zo dat ik er maar een voor hem draai. Eerst versta ik niet goed wat hij vraagt: 'Hoe oud ben jij eigenlijk vandaag?'

'Ik ben niet jarig.'

Streng: 'Dat vraag ik niet. Hoe oud ben je vandaag de dag?'

'Achttien. Bijna.'

Hij knikt. 'Wij zijn de oudsten dus.' Fluisterend: 'Jij hebt ook pijn, hè?'

'Wie niet, Joop.'

'Niet iedereen heeft pij. Een pij-maatregel, je weet wel, jeugd-tbs.' Hij zuigt de rook gretig uit zijn zenuwachtige peuk. 'Pijnmaatregel noem ik het liever.'

'O, op die manier.' De gedachten van Joop vermijden elke rechte lijn. Plotselinge overgangen, kortsluiting soms, zijn invallen lopen elkaar vaak in de weg. De flux, noemt hij dat zelf, of als hij zich heel goed voelt, 'de flow'; dat woord begeleid door een vloeiende handbeweging. Vandaag niet. Hij gaapt vol overgave zodat je z'n verhemelte ziet, net een hond.

'Slecht geslapen?'

Hij maakt een weggooigebaar: 'Het is... de toestand in de wereld. Al dat water. Vannacht kwam het niet alleen van boven, niet alleen de poolkap, snap je? Maar ook — en dat vergeten ook de geleerden vaak — uit Duitsland, Zwitserland. De gletsjers.' Dat woord herhaalt hij, het glijdt over zijn tong. 'Het pakijs smelt.' Hij kijkt me aan, de ogen hebben moeite met focus: 'Dan gaat het hard, man, neem dat van mij aan. Zo'n gletsjer, dat is eigenlijk een ingevroren meer, zo moet je het zien.'

We staren naar de grondmist in de verte.

'Ik heb, ik had een broer die wilde in Boekelo gaan wonen. Je weet wel, boven op zo'n heuvel. Zit je zeker de eerste duizend jaar veilig.'

'Goed idee.'

Argwanend: 'Je wist toch dat ik een broer had?'

Iedereen weet van Joop z'n broer, hij vertelt het drama minstens één keer per week. Doodgeschoten bij een drugsdeal. Ripdeal.

'Het is nutteloos, ik weet het.'

'Wat?'

'Als het water ook vanuit Zwitserland komt. Of Polen.'

'Polen?'

'Alles komt tegenwoordig uit Polen, lees je de krant niet?' Hij zuigt voor de laatste keer aan zijn peuk.

Nelson laat ons ongewoon lang buiten staan. Een stille jongen. Rustig. Heeft bij Glenn Mills gewerkt. Hij voelt de stemming goed aan. Laat ons afkoelen.

'Achttien jaar.' Joop schudt zijn hoofd. 'Ik vraag niet wat je gedaan heb. Dat wil ik niet weten. Zal wel niet veel moois wezen, als het goed is voor de pijnmaatregel. Mooi is dat hè, zoals ze dat zeggen. Je wordt *veroordeeld* tot drie maanden of een jaar. Maar een maatregel... klinkt zo onschuldig maarrr kan onbeperkt verlengd worden, als hun dat nodig vinden.' Hij knikt ernstig. 'Ze kunnen ons hier vasthouden tot we tweeëntwintig zijn. Tweeëntwintig jaar oud, moet je nagaan! Soms denk ik: laat maar opkomen, die vloedgolf, hier in de polder, want die gaat er het eerste aan, geloof mij maar.' Hij houdt het hoofd schuin, luistert. 'Hoor jij het ook?'

'Wat? Water?'

'Doe niet zo lijp. Hoor je het echt niet?' En tot het hele balkon: 'Ho-ren jullie het dan niet?'

De andere kijken weg of denken: die is para. Natuurlijk is-ie zwaar para, daarom praat ik zo graag met hem.

Dan roept hij in de richting van de weilanden: 'Het geweld eist zijn tol! Het geweld gaat zijn tol eisen!'

Nelson stapt resoluut het balkon op, vraagt wat er —

'Hij denkt dat het water ons allemaal zal verzwelgen,' helpt de pedo.

Nelson is niet onder de indruk: 'Wij zullen niet door het water vergaan maar door het vuur. Dat staat in de Bijbel.' Discussie gesloten.

Als we langs de glazen schuifdeur naar binnen glippen

slaat Joop zich voor het benige hoofd: 'Wat ik jou nog wou vragen.' Brede grijns, iets moeilijks dus. 'Ben jij nou eigenlijk een zegmaar neger of niet? Je hebt wel wat ze bij *Opsporing verzocht* "een licht getinte huidskleur" noemen.'

'Ik ben... een halve neger.'

'Oja?' Hij denkt na, dan: 'Half van boven of half van onderen? Van onderen is beter natuurlijk hè?' Daar moet hij erg om lachen. En als hij mijn reactie merkt, overdreven geschrokken: 'Maar je bent toch niet boos, Ronnie?'

'Neenee.' Niet echt. Het is Joop maar.

'Ik dacht even, die voelt zich ge-d-discrimineerd. Maar jij bent natuurlijk geen mokro, hè?'

'Neenee.'

'Jij bent mijn gab –, mijn gabber. De enige die ik heb.' En, net of-ie jankt: 'De enige op de hele wereld. Maar,' weer een klap op zijn platte voorhoofd, 'dat wou ik helemaal niet vragen. Ik wou vragen... wat wou ik vragen...' Hij komt bijna tegen mij aan lopen: 'Ze is er niet vandaag, hè?'

'Wat –'

'Doe niet zo vaag.'

Hij danst en swingt door het leven maar ziet en weet alles van iedereen. 'Nooit op maandag. Never on Monday. Zullen we hem een keer manieren leren? Niet al te grof, beetje dollen. Geintje uithalen. We kunnen hem, ik zeg maar wat, effe van zijn eigen gel laten proeven, wat denk je daarvan?'

'Wie?'

'Doe niet zo –'

'Gaat ze hem helemáál zielig vinden.'

'Ook weer waar. Eigenlijk heb ik geen vriendjes nodig, een schizofreen –'

'Is nooit alleen.'

'Precies. Mijn hoofd is compleet een telefooncentrale. Maar jij bent toch mijn gabber, hè?' Klap op mijn schouder:

'En je vindt het toch niet erg hè, dat van die halve neger? Of te veel onder de gordel?' Breed grijnzend waait hij weg, achter zijn eigen hersenspinsels aan.

Pas na de overdracht 's middags wordt het echt rustig. Dat komt door de Torkoe. Praat zacht maar is geen mietje, om de dooie dood niet. Karatekampioen. Eén keer heeft hij het laten zien aan een paar jongens die hem uitdaagden. Voor ze met de ogen konden knipperen lagen ze al gestrekt. Lenig, snel, trefzeker.

De Torkoe wordt nooit kwaad. Zegt tegen iemand die over de afdeling loopt te stuiteren: ga maar op je kamer, over tien minuten kom ik bij je. Dan legt hij geduldig uit: er zijn dingen die niet geaccepteerd kunnen worden, hier niet en buiten niet. Ze begrijpen hem, hij heeft weinig woorden nodig. Zo zou ik willen worden, groepsleider voor een stel jongens met jeugd-tbs, de gevaarlijkste. 'Ik ken jullie, ik ben zelf zo geweest. Ooit, in een vorig leven.'

Meteen als de Torkoe binnenkomt voel je zijn overwicht.

'Nog incidenten?' vraagt hij.

'Alles kits onder de rits,' zegt Kees en natuurlijk merkt de Torkoe meteen dat de oudere man hem nauwelijks aan durft te kijken. 'De Kaapverdiaan is bij de verpleegster geweest.'

'Niks ernstigs?'

'Misverstandje.'

De Torkoe vraagt niet door, ziet en ruikt hoe de man snakt naar de rust van zijn tuin, laat hem gaan.

Dan roept hij ons bij elkaar.

Een ongemakkelijk moment. Wie heeft wat verkeerd gedaan? Maar deze keer gaat het niet om ons. Wat hij vertelt is ongelooflijk. Stanley, modelleerling Stanley die ons eereergisteren verlaten had, omdat de behandeling klaar, af, voltooid was, heeft zich 'onttrokken' zoals het hier heet, omdat je 'weglopen' niet mag gebruiken en 'ontsnappen' natuurlijk helemaal niet. Alle trainingen doorlopen, sommige (Agressie Regulatie Training, kortweg ART) wel drie keer, kon er niet genoeg van krijgen. Drie, vier psychologen hadden hem en zijn knalgele SeeBuyFly-tas besnuffeld en prosociaal genoeg bevonden om de maatschappij aan te kunnen. Twee, drie keer proefverlof: ook voorbeeldig verlopen. Alles oké, licht op groen dus, op naar de laatste fase en dat is begeleid wonen, opleiding (stukadoor) afmaken. En dan nooit meer hekken, deuren van glas of van staal, vrijheid. Zo was hij vrijdagmiddag vertrokken, door ons uitgezwaaid. Jaloers waren we: het einde van het lange loop-baan-tra-ject waar wij ons nog struikelend, zuchtend en vloekend doorheen moesten werken.

Goed, Stanley was op vrijdagmiddag op eigen kracht (moet nu kunnen) naar zijn nieuwe verblijfplaats vertrokken, een huis aan de rand van de stad met uitzicht op een speeltuin. Inchecken vlekkeloos verlopen. Hij had het allemaal rustig bekeken, maar zijn tas nog niet neergezet. 's Avonds televisie met de anderen, videootje, *Scream 2*. De volgende dag zagen ze hem wat rondschuifelen in de tuin, of hij daar iets begraven had. 's Avonds *Scream 3*. Veel was er niet gezegd, de anderen voelden meteen dat de Suri geen prater was. Achter zijn naam verscheen wat er altijd bij werd genoteerd: geen bijzonderheden.

Maandagochtend vroeg opgestaan, vier boterhammen met pindakaas weggewerkt: die had er zin in! Met Schiphol-tas op weg gegaan naar de werkplaats. Nee, hij ging lopen, het was niet ver en hij kende de weg. Toch moet hij toen verdwaald zijn.

Want Stanley, onverstoorbaar en zonder haast, had de snelste route naar de eerste de beste koffieshop genomen. Had ge-woon op een bank in een parkje in de buurt wat sigaretten zitten roken tot de eigenaar de tent opengooide. Daarna ontbrak elk spoor. In rook opgegaan. SeeBuyFly.

Stanley heeft zich dus 'onttrokken'.

De Torkoe brengt het verhaal droog. 'Vandaag of morgen staat hij weer voor de poort. Want hij kan helemaal nergens heen.'

Het zijn niet alleen die laatste woorden die ons onrustig maken, dwingen om nog meer bijzonderheden te vragen, de mokro's kunnen er geen genoeg van krijgen. Het is iets wat dieper stoot, een vraag die het hele gebouw onderuithaalt: na al die trainingen en therapieën, het hele behandelplan stap-voor-stap zorgvuldig afgewerkt, had de bekeerde crimineel zich onttrokken... Als hij niet, waarom wij dan wel?

'Maak er geen drama van,' herhaalt de Torkoe nog, 'vandaag of morgen komt hij hier weer binnenwandelen, let op mijn woorden.'

Maar het blijft een kopstoot in het gezicht van al die inrichtingen, tuchthuizen, opvangcentra, werkkampen of hoe dat ook mag heten, ze zijn er met al hun mooie woorden niet in geslaagd een rustige Surinamer te hervormen. Een jongen die verder niemand kwaad doet zolang ze niet aan z'n tas of z'n leven zitten, want dan wordt-ie link. Bloedlink.

Joop vat het voor ons allemaal samen: 'Fuck the law.'

Het wordt onrustig op de afdeling. De muziek staat te hard. De stemmen zijn te schel. Bij de pingpongtafel maken de mokro's voortdurend ruzie tot Hamid met zijn hak het onschuldige witte balletje kapot trapt en naar zijn kamer wordt gestuurd. Brian is bezig met een computerspelletje waarin een groen monster met z'n blote handen de ene stenen muur na de andere sloopt. De Kaapverdiaan zit in een hoek te simmen omdat we hem hebben horen janken vanmorgen en de pedofiel wacht onder de keukentafel tot het overwaait. Hoe lang, hoe lang loop ik hier nu al rond tussen dit stelletje randdebielen?

Bij het eten 's avonds (alweer couscous) schuift Kevin de

voetbalvechter zijn bord — dat hij tot twee keer toe heeft volgestapeld en vervolgens in een noodgang leeggelepeld — van zich af en boert: 'Zo, dat was niet te vreten dus.'

'Wát zeg jij?'

'Varkensvoer.'

'Wát zeg je, ik heb gekookt, man.'

'Varkensvoer, stront in je oor, dombo?'

'Fok op jij, of ik trek de oren van je kop.'

De Torkoe staat op en deelt de straf uit. Zowel Abdoel of Abdel (kan ze nooit uit elkaar houden, het zijn er drie of vier, allemaal een matje van zwarte krulletjes boven op een kaalgeschoren kop, net of ze uit een fabriek komen) als de voetbalvechter krijgt straf. Hele tafel afruimen, alles afwassen, keuken spic en span, vloer vegen, natmaken en schoondweilen.

Beiden protesteren, Marokkaan omdat hij ook al gekookt heeft ('Kijk, pan helemaal leeg!') en de voetbalvechter omdat het écht varkensvoer was. En in dat protest vergeten ze hun conflict.

Ik stel me dicht bij het glazen hok van de groepsleiding op. De Torkoe zit daar met de nieuwe stagiaire te praten, een vrouw die vooral indruk maakt door de kolossale kont die achter haar aan komt. Ik weet precies wat er nu gaat gebeuren, het is tot op de minuut voorspelbaar en toch kan ik me er niet van losmaken.

Al na vijf minuten klopt de Marokkaan, die eerst met hun leider Hamid heeft staan zoemen, op het glas.

'Zeg het maar, Abdel.'

'Is niet eerlijk.'

'Wat is niet eerlijk, Abdel?'

'Kevin en ik kregen straf alle twee. Voor wat wij gedaan hebben, beetje ruziemaken ja, gebeurt elke dag ja, dat weet je toch?'

'Je vat het goed samen.'

'Maar dan moeten wij toch alle twee de *helft* van die straf krijgen, dat is toch eerlijk?'

'Ga nu maar aan je werk, Abdel.'

Mokkend af.

Tien minuten later verschijnt Kevin voor het glas. T-shirt met levensgroot: NO DRUGS; daaronder in kleine letters: ON MONDAY MORNING.

'Zeg het maar, Kevin.'

'Ik weet het goed gemaakt. Als we nu allebei het smerigste werk in de keuken doen, de goorste teringklus, weet je, wat niemand wil doen. De frituurpan. De frituurpan helemaal schoonmaken van binnen en van buiten. Vooral van binnen natuurlijk. Met kranten enzo leegmaken, uitschrapen, de hele handel. Is zeker al een maand niet gebeurd. Wij, Appie en ik, bieden het aan, helemaal vrijwillig. Mogen we dan om half negen naar die serie kijken, net als de rest? Nou?'

'Leuk bedacht, Kevin, maar een andere keer.'

De deur knalt dicht. In de keuken dondert iets om. We horen de voetbalvechter schreeuwen wat hij met de frituurpan en het hoofd van de groepsleider wil doen, fokking tyfus-Torkoe.

De groepsleider negeert het. Ze zeggen dat hij zelf kinderen heeft, en een vrouw in een burka.

De mokro's hebben de beste plaatsen op de bank voor de televisie al bezet. Z-zoemend gegiechel. Abdel maakt met zijn dweil natte cirkels langs de rand van de keukenruimte zodat hij steeds het beeldscherm scherp in het oog kan houden. Alleen Brian wordt kennelijk niet door de voorpret aangestoken, want hij heeft het groene monster in hem losgelaten dat alles verwoest wat op zijn weg komt en geen onderscheid maakt tussen mensen of wolkenkrabbers. Een monsterscore vandaag, de machine kan het nauwelijks bijhouden.

Het is een Amerikaanse serie, zelfs de bewaaksters dragen

pakjes die strak om het lijf sluiten. Alle vrouwen en meisjes, blond, bruin of zwart, zijn bloedmooi, het haar gewassen en geföhnd alsof ze achter de tralies niks anders te doen hebben. Ze lijken in niets op de droevige types die hier op de meidenafdeling snoep zitten te eten, de hele dag door, tot ze bijna vierkant zijn geworden. Er was er een bij die door haar moeder al toen ze dertien was op het internet werd gezet. Uit huis geplaatst, overal rotzooi, en uiteindelijk hier, Joop kende haar. Ging beter, leerde voor kapster enzo, later in een lief pleeggezin enzo. Eind goed al goed, maar een paar maanden later werd ze alweer door moeder op het web aangeboden, met een paar smakelijke foto's erbij. Zulke verhalen vertellen de Amerikaanse series nou nooit.

Het hoogtepunt van elke aflevering is het lijf-aan-lijfgevecht. Twee vrouwen vliegen elkaar aan, krabben, bijten, aan de haren rukken, hier en daar scheurt een strak kledingstuk. En precies tijdens die scène komt de Torkoe, gealarmeerd door de stilte op de afdeling, uit het kantoortje stappen. Hij kijkt twee minuten en maakt er een eind aan. Hooglopend protest, 'hou jij niet van vrouwen dan?'

'Tor-koe is een miet-je,' begint iemand treiterend te zingen. De groepsleider komt terug met een dvd. Omdat iedereen alle andere dvd's al minstens drie keer gezien heeft, zijn we toch nieuwsgierig.

Het is een lachfilm, een film waar om gelachen moet worden, het onzichtbare publiek geeft aan wanneer en hoe hard. Het werkt. Een kinderpartijtje. Zelfs de pedofiel mag aanschuiven. Hij zit op z'n hurken naast de luie stoel van Hamid, alsof hij van die aanvoerder bescherming wil vragen. Brian hangt half van het smalle stoeltje bij de spelcomputer en merkt niet eens meer hoe het groene monster sterft onder neerstortende wolkenkrabbers, zoveel stof dat je bijna moet hoesten.

De blanken in de film zijn bijna allemaal dom en belachelijk, maar de zwarten zonder uitzondering idioten die voortdurend giechelend stoned rondtoeren in een krankzinnig grote Amerikaanse slee. Knallen tegen een boom en als ze achteruit willen rijden verbouwen ze steevast een of twee geparkeerde auto's. Lachen man, je lacht je kreupel! Een Abdoel of Abdel valt hikkend van de bank, tenslotte zijn het zwarten die zo stom doen. Ik ga zo ver mogelijk van de lachsalvo's staan, druk mijn vingertoppen diep in mijn oren. Het dringt door alles heen. Het voorgekookte gelach, de dolle pret op de bank, de hele wereld hangt scheef van de opgefokte vrolijkheid.

Een hand op mijn arm.

De hand van de Torkoe die mijn elleboog pakt.

'Kom,' zegt hij, 'dit gaat nog wel een tijdje door zo. We gaan een uitstapje maken.' Hij meldt het aan de stagiaire, die haar verbijsterende reet voor de computer heeft geparkeerd (durft ze niet uit het kantoortje te komen?). 'Destiny, we gaan even weg.'

Destiny!

Ik denk na over die naam terwijl de Torkoe zijn plastic kaartje tegen de deurpost drukt. De glazen deur klikt gewillig open. Control stemt zwijgend toe of staat in slaapstand.

De sportzaal.

Het licht gaat aan. Vreemd leeg op een vage zweetgeur na. Veel blauw, valt me altijd op, donkerblauwe matten, de kurkvloer lichtblauw; zeker rustgevend.

Uit een hoge kast haalt hij een paar leren handschoenen. We lopen naar de hardblauwe boksbal. 'Ga je gang maar,' is alles wat hij zegt.

Eerst stroef, de spieren op slot, ik voel dat hij toekijkt.

'Gooi het eruit, Ron.'

Dan breekt het eindelijk los, het hagelt op het weerloze

leer, de slagen jagen elkaar op tot een moordend tempo. Geweld is wreed omdat je er niet bij na hoeft te denken.

Na tien, vijftien minuten ben ik doorweekt. Buiten adem, kan de handschoenen nauwelijks meer op schouderhoogte houden.

'Je beweegt te weinig.'

En dus loop ik om de onverslaanbare, hatelijk blauwe bal heen, geef plaagstoten, ontduik, deins terug, de Ali-shuffle. Het gevecht wordt speelser, trefzekerder ook, ik sla de ribben uit zijn lijf. Het publiek juicht, klapt, Sandra op de eerste rij, vlak onder de touwen.

Na een minuut of twintig komt hij naast mij staan.

'Is het eruit?'

Ik knik, te zwak voor woorden.

'Dan is het goed.' Hij helpt me uit de handschoenen. Als we samen naar de deur lopen slaat hij een arm om mijn hijgende schouders. 'Dat lucht op.'

'Jaa-aa.'

Ik heb hem zoveel te zeggen, al die vragen, maar het goeie van de Torkoe: het is niet nodig. In een omgeving waar de hele dag blabla gepraat wordt, spaart hij de woorden.

Toch, als we terugkeren en het geschater al horen, durf ik: 'Misschien... zou ook een keer een andere film... Van een boek van Stephen King bijvoorbeeld, ik heb ze allemaal gelezen en ze zijn verfilmd...'

Hij antwoordt niet meteen. Denkt na. Of heeft het niet eens gehoord.

'Er is een boek, Joop heeft de film ook gezien, gaat over een man die zo lang vastzit dat als hij dan na al die tijd buiten komt — hij kan niks meer. En hangt zich op. Of *The Matrix*.' Ik vertel kort het verhaal na, maar hij luistert al niet meer.

'Dat komt te dichtbij, Ron. De jongens, die willen lachen.'

Ze zitten nog in precies dezelfde opstelling, netvlies aan het beeldscherm gekleefd.

De Torkoe stopt de band. 'Morgen verder.'

Het gezelschap begint te gapen. 'Shit, he-le-maal vergeten me moeder te bellen.'

Inspectie of alle taken correct zijn uitgevoerd. In de keuken naast de afwasmachine een plas water ontdekt. Hamid werpt zich onmiddellijk op als vrijwillige schoonmaker. Ik weet precies wat nu gaat gebeuren. Hij zal die onnozele taak tergend traag oprekken. Als de plek droog is, giet hij er stiekem nog wat water op. Pas als alle anderen al naar boven zijn, op hun kamer, gaat hij de laatste druppels opvegen. Want er is geen avond dat hij *niet* als laatste zijn kamer opzoekt. Elke dag verzint hij weer wat. Buikpijn. Slapend been. Iets kwijt. Briefje van de dokter. Moeder jarig (wel vier keer per jaar). Slachtfeest. Naar de kapper. Het is zijn manier om zijn vrijheid te bewijzen in een wereld waar alles strak en straf geregeld is. Je zou hem er bijna om bewonderen.

De lichten gaan uit.

Ook de deur van Hamids kamer valt met een droge klik in het slot.

Het is het uur van het 'pacha slaan', door de leiding kuis 'het huiswerk' genoemd.

Iemand hoest overdreven luidruchtig (wil zich natuurlijk morgen ziek melden).

Later in de nacht geschreeuw. De bewakers stampen de stalen trap op, schuiven het luikje open om te ruiken of er niet gerookt wordt.

Een zacht gekreun houdt me uit de slaap. Soms hevig, dan weer net binnen gehoorsafstand. Het hindert, je kan het geen naam geven. Een zware tak die buigt (maar er zijn in de verste verte geen bomen in de buurt). Een eentonig geluid, zoals het zoeven van een drukke snelweg, kan je uitschakelen. Maar een onregelmatig geluid, nee. Je gaat liggen wachten tot het weer terugkomt.

Ik vraag me af of de anderen het ook horen, of we allemaal in het donker liggen te luisteren naar de stoorzender.

We zullen het nooit van elkaar weten, want zulke dingen vraag je niet hier. 'Doe niet zo fokking para.'

Paranoia. Ja, ik ben bang. Dat ik niet meer het verschil zal horen tussen de stemmen op de afdeling, het gelach op de televisie die de hele dag aanstaat en de herinneringen in mijn hoofd. Vader, moeder, de leraar die zo graag wilde dat ik doorleerde. Eén grote mix. Dan zal er geen verschil meer bestaan tussen vroeger en nu, tussen binnen of buiten, tussen dag en nacht ook.

Je wordt vanzelf Joop.

Iedereen een fokking schizofreen.

Ge-woon

Door onzichtbare pijpleidingen is het bericht binnengesijpeld. Stanley komt terug! Hij zou al in een busje naar ons op weg zijn. Nee, is al beneden, in 'het bad', waar je tot op het bot uitgekleed en van binnen gefouilleerd wordt, je kleren uit elkaar gerafeld om te zien of er geen wapens, munitie, zware shag of een flinter wiet te vinden is. Zeker bij Stanley, want die heeft een verleden. Niet alleen de gewapende overval op een pompstation (waar hij waarschijnlijk alleen op wacht stond, trouwe Schiphol-tas in de hand), nee, al bij het begin van zijn 'detentie' begon het Control op te vallen dat Stanley precies een dag na elk bezoekuur zo uitbundig door de groep omringd werd. Bleek dat zijn moeder bolletjes in haar handtas naar binnen smokkelde. Zijn zusje liet ze liefdevol in een bekertje fris vallen dat Stanley peinzend opdronk — met die diepe blik waarmee de jongen altijd om zich heen keek; je wist nooit wat er in dat hoofd omging, hijzelf ook niet waarschijnlijk. En vierentwintig uur later was de hele afdeling voorzien.

Ouders mochten drie maanden niet meer komen. Stanley minder populair, eerder een soort schaduw op de afdeling, gele vlek in een ooghoek. Zijn matties van buiten, die daarna op het bezoekuur wilden verschijnen, kwamen nooit verder dan de poort. Slechte vrienden, hun telefoonnummers al te bekend bij de blauw. Zo werd het snel stil om de Schiphol-tas.

Hij sliep, at en zat, zei zelden een stom woord. 'Vind je

het erg dat je ouders niet meer komen, Stanley?' Antwoord: 'Ach, weet je...' en dan volgde niets; of alleen gewoon 'gewoon'. Bij het bezoekuur bleef hij gewoon boven, omdat er toch niemand verscheen. Sport deed hij nooit aan mee, want dan moest hij zijn plastic tas onbeheerd laten. Aan tafel ging hij altijd naast Brian zitten, die dat toeliet omdat Stanley de enige was die zijn hoofd niet moe maakte. 's Nachts scheen hij in zijn slaap te schreeuwen. Hij werkte niet mee en hij werkte niet tegen. Stond op zonder dat hij uit bed geschreeuwd hoefde te worden. Poetste zijn tanden, maakte zijn bed op. Voerde de opgedragen corveetaken ge-woon uit. Zat op school zonder ooit iets op te schrijven of te zeggen. De leraren gaven hem allang geen beurt meer. Maar geen mens durfde ooit een grap met hem uit te halen, die leraren niet, de groepsleiders niet en de andere jongens al helemaal niet. Want iemand die zo vuil uit zijn ogen kijkt, dreigt niet dat hij je gaat slopen — hij dóét het. Ge-woon.

Dat ging zo door tot hij op een ochtend naar het glazen kantoortje van de groepsleiders stapte, beleefd op de deur klopte en zei: 'Zo wil ik het niet langer.' Nelson, pas bij ons, viel op de knieën en dankte de Heer. Wij ook, want de zwijger begon iedereen op de zenuwen te werken.

De aardigste psychologe stelde een pracht van een behandelplan op, in vijf oplopende fasen van prosociaal gedrag. Stanley besteeg de treden in zijn eigen tempo, dat wel. Eén keer ging het net iets te vlug. 'Wonen in een pleeggezin' is vroegtijdig afgebroken toen de kat van het huis in Stanleys tas werd ontdekt: 'Hield me 's nachts gewoon wakker met zijn gejank.' Verder was hij keurig binnen de regels gebleven. Van zijn proefverloven — begeleid en later zonder groepsleider — gaf hij steeds hetzelfde verslag: 'In de McDonald's gezeten en mensen gezien.' Op de vraag wat hij wilde worden volgde prompt het antwoord: stukadoor. Waarom? 'Alles mooi wit maken, weet je wel.' Zoiets zei hij nooit met een knipoog maar oerserieus, alsof hij er maanden over had nagedacht, alle maanden dat hij zonder woorden langs ons heen was geschoven.

En nu opeens staat-ie daar weer, kleiner geworden naast het atletische lijf van Nelson.

Een smal, scheef lachje, alsof hij wil zeggen: jullie wísten toch dat ik terug ging komen?

Toch wordt hij uitbundig begroet. Hij had ons niet in de steek gelaten, hij hoort er weer bij, hij en zijn gele tas. Een voor een slaan we de armen om hem heen, althans we proberen het. Alles aan Stanley is rond en het is lastig iemand die glad is vast te houden. De mokro's snuiven gulzig de zoete geur op die nog om hem heen hangt. (Alleen de Kaapverdiaan, aso, doet niet mee.)

Stanley laat het allemaal langs zich heen gaan.

Waarom, waarom, waarom, Stanley? vragen we.

Daar denkt hij diep over na.

Wij wachten, ook de groepsleiders Kees en Nelson die erbij komen staan.

En dan, de woorden als stroop die door een smalle trechter druipt: 'Ik had anderhallef jaar gezeten. Ik dacht: eerst even chillen.'

Stilte.

Dan davert het door de afdeling. Stanley moest effe chillen!

Is alles wat hij erover kwijt wil. Hoe dwingend we hem ook aanstaren, Stanley draait zich om en verdwijnt naar zijn kamer, plastic tas in de hand.

'Hij moet alweer effe chillen,' roept Saïd en weer davert het door de afdeling. Nooit zoveel gelachen als bij Stanleys veilige terugkeer op de thuisbasis.

'Weet je wat het is,' zegt Joop de Dope, 'ze moesten ons

eigenlijk elke dag een stuk of twee stikkies geven. Twee is eigenlijk genoeg. Een voor 's ochtends om, zegmaar, het werk aan te kunnen; een voor 's nachts om lekker te kennen dromen. Ik, ik voor mij persoonlijk zou volmaakt rustig worden, ech waar. En iedereen hier. Twee jointjes, meer niet. Alcohol is legaal, maar blowen gezonder, dat is algemeen bekend. Je kan het overal kopen, dus waarom hier niet?' Het rare van Joop de Dope: ook als hij niet stoned is, draaien zijn oogballen of iemand er telkens met zijn nagel een tik tegen geeft. 'Heb het er nog met de nieuwe spieg over gehad. Leek hem wel een vet idee, zei-die. Moest er nog hier en daar over praten, hoe organiseren we dat? Zoiets moet je voorbereiden. En weet je hoe-die mij noemde? "Jij lijkt me wel een geschikte peer geloof ik, Joop." Een peer, hê-jij daar ooit van gehoord?'

'Peer,' zegt Saïd, de enige mokro die met ongelovigen praat, 'niemand zou mij zo moeten noemen. Bovendien, geen enkele spieg is te vertrouwen.' En hij begint een verhaal over hoe die man maar door bleef zeuren over wat je wil worden enzo, 'denk aan je toekomst'.

'Hoe zie je jezelf over vijf jaar, ja dat ken ik,' vult Joop aan. 'Heb hem gevraagd hoe hij zichzelf ziet, over een jaar of tien.'

Saïd gaat onverstoorbaar door: 'En die man: "Je kan toch niet je leven lang ouwe vrouwtjes blijven beroven blablabla", dus de volgende keer dat ik daar kom begin ik meteen zelf: Heb nagedacht over het traject, maneer.

Zegt-ie: Heel goed, ik ruik al vooruitgang.

Dus ik weer,' de jongen wrijft in zijn vuistjes, hij is klein maar niet dom, 'U moet raden, maneer.' Zijn dunne lijf kronkelt al van de giechelkrampen. 'Raadt u maar, maneer.

Hij begint: Monteur.' (Meest geliefde beroep in de inrichting, iets met auto's, hoe je een gestolen BMW zo snel mogelijk kan oppimpen of omkatten.)

'No!

Lasser dan?

No!

Kok ofzo?

Never-nooit, veels te vroeg opstaan, maneer.

Iets met... fitness misschien, daar is tegenwoordig veel vraag naar. Mooie dushi's leren hoe ze hun benen moeten strekken. (Vuile knipoog spieg.)

Uh-uh.

Rapper dan, Rachid?

Wát zeg jij?

Rapper, iemand die zegmaar rapmuziek maakt en in grote limousines rondrijdt. Mooie vrouwen, veel doekoe. (Weer vieze knipoog.)

Ik heet Saïd, maneer.

O pardon. Saïd, Rachid...

U hebt het nog steeds niet geraden, maneer. Toch zo makkelijk.

Ik geef het op.

Kom op, maneer. Iz niet moeilijk.

Stand-up comedian?

Geen idéé waar hij het over heeft. Zou kunnen maneer. Wel dichtbij.

Eerlijk, Hamid —

Saïd maneer.

Oké, Saïd. Je had hier een Marokkaan, die wou in de bouw...

Níét goed. Het is iets... rustigers. Je kan erbij blijven zitten.'

De spieg geeft het op.

Dan zal ik het maar zeggen maneer. En het goede antwoord izz...' Hij kijkt ons een voor een aan, pretogen. Wacht. Dan: 'spie-go-loog!!! Alleen maar luisteren, weet je wel, en toch zakken met doekoe scoren!' Hij slaat echt dubbel, stikt bijna in zijn eigen goede grap.

En als hij dan eindelijk weer adem heeft: '*Hij* kon er niet om lachen. Ging meteen zitten schrijven. Slechte aantekening! Jullie tatta's, jullie hebben totaal geen gevoel voor humor, weet je. Cultuurverschil.' En hij loopt weg.

Je kan zeggen wat je wil over de mokro's, maar saai zijn ze niet. Hamid, hun leider, was nog geen week hier op de afdeling of hij haalde meteen zijn eerste stunt uit. Bezoekuur. Bezoekuur afgelopen, iedereen staat op, afscheid, wat verwarring. En hij, Hamid, wandelde doodkalm met een stel kwetterende Marokkaanse families mee, groette beleefd de bewakers ('Tot de volgend keer dan maar weer, maneer') en verdween. Op het parkeerterrein wachtte zijn broer in een snelle BMW. Na een week komt hij cool weer terug, uit eigen beweging. Sorry, Suikerfeest geweest. Einde ramadan. Iz heilig feest voor ons, net als voor jullie kerstfeest, maar dan zonder sneeuw enzo.

Er hangt vandaag iets feestelijks in de lucht. Niet alleen door het weerzien met Stanley, die nu uitrust van zijn vlucht. Er is ook nog een nieuwe bij gekomen: klein, springerig ventje dat Dennis heet. En zich meteen na het voorstellen hardop afvraagt: 'Hoe houden jullie het hier uit, als ik een week niet geneukt heb, word ik gek.'

'Veel pacha slaan,' mompelt Brian somber.

'Veel wat?'

Hij legt het uit, met gebaren.

'Of doen jullie het soms met elkaar?'

'Hoho, we zijn geen homo's. Bovendien, we mogen niet bij elkaar op de kamer komen, dus veel huiswerk maken.'

'Huiswerk?'

Brian maakt weer hetzelfde gebaar.

Dennis begrijpt er niet veel van, maar heeft toch het hoogste woord. Zit later aan tafel met Brian en Stanley, Joop en ik luisteren mee: 'En dan staat ze daar opeens. Boven aan de trap, ik beneden. Eerst denk ik: die gaat uit, want ze heeft laarzen aan. Maar daarboven draagt ze een soort ochtendjas. Ze ziet dat ik kijk natuurlijk, blijft staan. Doet ze langzaam, maakt ze heel kalm de ceintuur los van die ochtendjas of kimono of weet ik hoe zo'n ding heet. Ding valt open: niks onder aan. Helemaal niks! En dan —'

'Een seksmaniak, dat ontbrak er nog maar aan...'

'Waar mensen zich druk over maken... Als het ijs smelt, gaan we toch allemaal naar God.'

We zien Stanley opstaan, hij loopt weg van de tafel of-ie een afspraak heeft.

'En toen zei ze tegen mij: nu moet je mij ook een beetje verwennen.'

'Ja, dat hebben vrouwen graag,' knikt de pedo, die er geruisloos bij is komen zitten — ongestraft, want Dennis kent de verhoudingen in de groep nog niet.

Stanley komt terug.

Hij stelt zich naast de praatjesmaker op, legt een boek op tafel en bladert. Stopt bij een foto. Een kleurenfoto over de hele bladzij.

Een meisje, of liever: de rug van een meisje.

Opgestoken haar, draagt een zwarte hoofddoek waar een roze oortje onderuit steekt. Wat losse, springerige haartjes in de nek. Van het gezicht zie je niet meer dan de wang en een wimper.

Ze kijkt heel geconcentreerd naar haar hand die schrijft in een schrift met een ringband.

Tijdens de les, waarschijnlijk.

Eigenlijk dus alleen maar een rug, maar daarop is zoveel te zien. Het halskettinkje bijvoorbeeld, parels die met elkaar niet meer dan een helderwitte schittering vormen op de licht gekleurde huid.

De bandjes van wat wel haar beha moet zijn. Daartussen de V van haar visnethemd, alles in het donkerblauw of zwart, zelfde kleur als haar haren. Dat is allemaal zo duidelijk te zien omdat het beige truitje niet verder reikt dan de onderkant van haar schouderbladen.

De foto moet op een hete dag genomen zijn.

Van zó dichtbij, dat je haar nek bijna aan kan raken. (Een tikje mollig, want de bobbels van de rugwervels zie je niet.)

Dennis vloekt.

Verder blijft het ijzig stil. Er is, merken we voor het eerst, geen muziek die de zenuwen schuurt.

Joop, zijn tong hangt boven de afbeelding: 'Het is een hoe heet dat ook alweer, moslimmeisje.'

'Moslima.'

'Kijk maar, hoofddoekje.'

'Haarband.'

'Hoofddoekje.'

Dennis, om aan het gezeur een eind te maken, roept naar het groepje mokro's dat op een afstand onrustig staat te fluisteren: 'Hé, Ali, foto van je zuster.'

Staan meteen om ons heen, buigen zich deskundig over de nek van het meisje.

Zoemen in koor dat het hun zzus niet is.

'Sorry hoor, ik dacht even —'

'Jij kan niet denken.' Hij (Ab of Mo) wijst op Dennis: 'Wat heb jij een rotkop. Waar heb je moeder die gekocht?'

'Hoe kan ik nou weten dat het jouw zus niet is, Ali, er staat toch geen telefoonnummer bij?'

De jongens draaien zich al half om, tot Mo blijft staan: 'Wat bedoel jij met telefoonnummer, kankerkop? Waarom die telefoonnummer? Wat heeft mijn zus daarmee te maken, ja?'

Dennis, onschuldig: 'Als er een telefoonnummer bij staat kan je opbellen, begrijp je? Dat kan jij zelfs begrijpen, of niet soms, paddo?'

Mo doet een stap in zijn richting: 'En waarom zou ik haar willen opbellen hè, waarom zou ik dat willen?'

'Ja, waarom jij je zuster zou willen opbellen moet je mij niet vragen.'

'Izz mijn zus niet. Waarom zou ik die meisje willen opbellen, ja?' Nog een stap. Hij kan nu niet meer terug.

'Nou ja,' Dennis gaat achteroverzitten, op z'n dooie gemak, 'bijvoorbeeld omdat je een geit wil huren.'

'Een *wat*?' Het hele troepje komt nu dreigend dichterbij.

'Je verstond me. Of heb je soms geitenstront in je oren?'

'Waarom "geit", mislukt hoofd?'

'Daar houden jullie toch zo van? Daar in de bergen. Geitenkaas, geitensoep, een geit kan je overal voor gebruiken.' Hij kijkt ons grijnzend aan: 'Zo is het toch? Of niet soms?'

Een stoel dondert om, ze staan al tegenover elkaar.

'Jij moet mij niet fokken, man, dan ga ik pissen op jouw kankerkop!'

Groepsleider Kees moet de struikelende stoel gezien hebben, want hij is er snel bij. Hij kijkt, ziet de kemphanen tegenover elkaar staan, zegt niets.

Rekt zich uit, of er niks aan de hand is.

En het komt door de ontspanning van zijn opgerekte spieren óf juist uit angst — ik heb gelezen dat paarden zo hun vijand schrik aanjagen —: opeens ontstaat er een kolossale gasverplaatsing van zijn darmen naar de buitenlucht.

'Jezus, bedorven vlees!'

'Shit.'

'Té-ring.'

Het hele stel slaat op de vlucht naar het balkon, zodat de groepsleider alleen achterblijft op een ontruimde afdeling.

'Dit is niet goed,' fluistert Joop, '*niet* goed. Het geweld moet zijn tol hebben. Anders wordt het vals. Vanmiddag is het bezoekuur, vergeet dat niet. Het uur van de bezoeking!'

En hij danst weg, elke dag dunner, het lijkt al of hij bijna geen schaduw meer werpt.

Om half twee komt Sandra binnen, maar ze reageert niet eens op mijn groet. Donkere vlekken onder haar ogen. Natuurlijk, zij is de mentor van Stanley geweest, dus verantwoordelijk voor het mislukken van zijn resolisatie of hoe dat heet. Elke week een gesprek waarbij sterke en zwakke punten werden doorgenomen. Omgang met anderen. Kritiek kunnen verdragen. Samenwerken. En Stanley zat daar dan braaf te knikken in het glazen kantoortje, plastic tas tussen zijn Nike's.

Precies zoals hij daar nu zit, beweginloos blok vlees, al lijken zijn schouders nog wat meer gesmolten vandaag. Sandra praat heftig op hem in, haar handen gebaren. Want alles wijst erop dat Stanley iets heeft laten zien wat hier Sociaal Wenselijk Gedrag (sw g) heet, een ingewikkeld begrip. Je kan namelijk elke dag keurig je kamer opruimen, nooit bijdehand doen tegen de groepsleiders of stennis maken en toch vet fout zitten. Het gaat er namelijk om dat je je goed gedraagt niet omdat de leiding dat wil, maar omdat je genezen bent van alle aso-neigingen. Als ze je verdenken van Sociaal Wenselijk Gedrag betekent dat: je doet net of je een sociaal mens geworden bent, maar van binnen wacht een gevaarlijke gek op zijn kans.

Nu is het fokking moeilijk sw g van écht Sociaal Gedrag te onderscheiden, want het ziet er van buiten precies hetzelfde uit: de bekeerde boef. Toch gaat het om een levensgroot verschil, want kom je vrij en verval je weer in gevaarlijk gedrag, dan haal je meteen de krant en de televisie en krijgt de leiding (te slap) alle schuld. Ze moeten dus iets verzinnen om sw g (bedrog) van s g (genezing) te kunnen onderscheiden. Die methode heet 'triggeren' en dat houdt in dat ze een verdachte bewust gaan pesten en uitdagen met onredelijke eisen en straf.

Reageer je meteen pislink, is het niet goed: deze jongen kan zijn agressie nog niet reguleren, moet dus langer binnen blijven voor behandeling. Word je uiteindelijk toch kwaad maar niet gewelddadig: bent op de goede weg, ga zo door. Maar blijf je onder alle vernederingen en pesterijen dood-kalm, dan is dat echt he-le-maal fout, je bent een zwaar geval, monster vermomd als mens en dan valt al gauw het p-woord. Psychopaat.

Maar, denk ik wel eens, moet niet *iedereen* vaak moeite doen om sociaal over te komen? Neem Kees als hij 's ochtends zuchtend en steunend met een pestpleurishumeur op de afdeling komt. Als hij dan toch rustig blijft tegen ons, is dat dan geen swg? Winkeliers die beleefd moeten blijven tegenover de klant; leraren die zich inhouden terwijl de woede bijna overkookt: allemaal swg. Glimlachen terwijl je eigenlijk iemand het liefst wil afmaken.

Ingewikkeld, dat verschil tussen sociaal gedrag dat je alleen nadoet (maar niet voelt) en écht sociaal gedrag.

Soms denk ik dat die psychologen zelf het verschil niet weten, net zomin als de zogenaamd ontspoorde jongeren die ze behandelen. En dat de hele wereld een hel zou worden als we niet het gedrag lieten zien dat de anderen van ons verlangen of verwachten. Ik heb het ooit aan Sandra, die ten-slotte ook mijn mentor is, proberen uit te leggen. Maar ze zei alleen: 'Je moet niet zoveel nadenken, Ronnie.' Dat was in de tijd dat we nog vriendjes waren, voor de komst van de Kaapverdiaan (kv) dus.

Ik druk mijn oor tegen het glas (Sandra zit met de rug naar mij toe en Stanley leest de grond) en hoor: '*Niet* goed, Stanley. Versta je me wel, dringt het wel tot je door?' En nu verbijt ze vast en zeker een heel lelijk woord, ik ken haar. Het gaat niet goed met haar, al heel lang niet. Het is begonnen toen die glui-perd van een kv hier verscheen en haar met z'n vlotte praatjes en gebaartjes begon in te palmen. Loverboy eigenlijk. Daarna was Sandra onze Sandra niet meer, goedlachs, voor iedereen een aardig woord, altijd vrolijk. We waren allemaal verliefd op haar en geen mens die het ooit zou wagen een foute opmerking over haar te maken. Want dan kon je een ram krijgen.

Sandra pakt de mollige kin en dwingt hem haar aan te kijken. Haar hoofd staat niet stil, ze blijft woorden zoeken die niet in zijn hersenkronkels verdwaald raken. Maar geen spoor van berouw. En áls er iets uit zijn mond sijpelt, dan zijn het de twee lettergrepen waarmee hij alle oneffenheden van het leven gladstrijkt: ge-woon. En zij, ze wordt er natuurlijk stapelgek van. Zodat ze uiteindelijk maar in haar kolossale zilveren tas gaat rommelen om iets te pakken. Lipgloss, haar lippen kurkdroog van het lullen. Ze draait zich half om alsof ze mijn blikken voelt, ik doe een stap terug. Fokking KV, daar zit hij weer. Heeft een stoel bij de televisie zo opgesteld dat hij het glazen hok (en mij) scherp in de gaten kan houden. Heeft zelfs het lef zijn hand op te steken alsof hij mij als z'n vriend groet. Glanzend gelhaar en glanzend witte tanden. Altijd dezelfde witte trui. Hij grijnst omdat hij me voorlopig op afstand wil houden. En omdat hij geniet van Sandra's verdriet natuurlijk. Ooit zullen we het uit moeten vechten. Maar ik wil niet degene zijn die begint. ART, Agressie Regulatie Training. Tot tien tellen voor je toeslaat. Overweeg wat je winst zou zijn als je wint. Ik weet dat je alleen maar kan verliezen hier. Laat ik me na de eerste klap zogenaamd verslagen op de grond vallen, raak ik alle respect van de jongens kwijt. Maar als ik hem met twee-drie stoten strek, zal Sandra ertussen springen om haar zielige lievelingetje te beschermen, verzorgen, troosten, aan haar borst te drukken. Dus doe ik helemaal niets, dat is mijn ART.

En toch moet ik haar waarschuwen, ik heb het al geprobeerd. Bijna onmogelijk in een ruimte waar iedereen voortdurend wordt bewaakt en afgeluisterd. Bovendien, de Kaapverdiaan zal het horen en al verstaat hij zogenaamd geen Nederlands, iemand als hij ruikt het gevaar. En dat is misschien wel wat ik het meest in hem verafschuw, dat wij iets van elkaar hebben. Allebei geen druktemakers, zoals de mokro's. Niet zwakbegaafd als Brian of altijd, met of zonder drugs stoned, zoals Joop. Wij zijn de koele kat-uit-de-boom-kijkers. Ik *moet* haar waarschuwen.

Maar toen ik zomaar zei dat het me een gevaarlijke, onbetrouwbare gozer leek, vroeg ze doodrustig: 'Hoe kom je daar toch bij, Ronnie?'

'Ook door zijn verleden.'

Ze reageerde eerst niet.

'Zijn gewelddadige verleden.'

Het leek of ze lachte, of ze daarom moest lachen, toen ze nog even kalm en volmaakt getraind antwoordde: 'Maar je mag iemand toch niet alleen op zijn verleden beoordelen, Ronnie?' Diepe denkrimpel tussen haar donkere wenkbrauwen. 'Als we dat deden, zou iedereen hier...' En of ik het intussen niet gesnapt had: 'Jij ook, Ronnie, jij bent geen slechte jongen maar je hebt toch ook... verkeerde dingen gedaan. Je zit hier niet voor je zweetvoeten.'

Niets tegen in te brengen natuurlijk.

'Zullen we het hier maar bij laten, Ronnie?' Iets scherps in haar toon, het was de eerste keer dat we bijna ruzie kregen. En dat allemaal om die kanker-kv.

Het is stil achter het glas.

Sandra leunt voorover, bedekt met beide handen het gezicht.

Stanley staat aarzelend op. Doet voorzichtig de deur open. Schuift langs mij heen, het plastic tasje ritselt langs mijn knieën. Daarna, alsof deze barre tocht van glazen kooi naar zitruimte al te veel is, ploft hij neer voor de spelcomputer.

Een halve minuut later is hij al vertrokken, opgenomen in een bandeloze uitbarsting van geweld. Ge-woon.

Als ik omkijk, zit Sandra nog steeds in dezelfde houding. Dan woelen haar vingers wanhopig in haar grote zilveren tas, die altijd wijdopen staat. Papieren zakdoekje, nog een papieren zakdoekje. Voor ze dat tegen haar ogen drukt, ziet ze me staan. Herkent me, ik schrik en duik weg. Dit zal ze me nooit vergeven, dat ik haar zag huilen om Stanley.

De rest van de dag blijft de onrust door mijn lijf spurten. Waarom is de Torkoe er niet vandaag? De Torkoe moet me meenemen naar de grote blauwe boksbal.

Om kwart voor vier loopt Brian al in de richting van de glazen deur die ons scheidt van de gang en de rest van de inrichting. De mokro's volgen, Hamid het hoogste woord alsof hij op het punt staat zich opnieuw te onttrekken. Dennis, Kevin de voetbalvechter, de pedo. Stanley niet, want die heeft straf en ook de kv niet omdat familie of vrienden hem niet graag bezoeken in een inrichting voor criminelen. Die twee worden boven opgesloten omdat je ze niet los kan laten rondlopen op de afdeling, halen de boel overhoop, steken de hele handel in de fik of bijten elkaar de strot af. Zo gaat dat. Je moet absoluut geen risico's nemen met die gasten.

Brian zou eigenlijk ook straf moeten krijgen maar mag toch mee want hij is zwakbegaafd en de jongste (moet elke avond een uur eerder naar bed). Bovendien, zijn moeder heeft speciaal gebeld dat ze zooo graag wou komen. Maar als we beneden zijn is ze er niet. En dus zit hij daar helemaal alleen om zich heen te kijken naar de babbelende families, zelfs de pedo heeft bezoek. Hamid demonstreert nog eens hoe hij de eerste keer ontsnapte, zijn zussen liggen dubbel, 'Gewoon meelopen, weet je. Als je je vrij voelt gaat alles vanzelf.'

Mijn moeder vraagt iets, ik antwoord: 'Ja dat zal wel.' Het zou zoveel makkelijker worden als je gewoon, zonder woor-

den, naast elkaar kon blijven zitten, zonder verplichte vrolijkheid (swg). Maar zij vindt dat zoiets niet hoort, je hebt
elkaar wel een week niet gezien, van alles en nog wat meegemaakt, zoveel te vertellen, toch? Haar verhalen interes-
seren me geen fuck, ze heeft het over buurvrouwen die zelfs
in mijn dromen niet meer voorkomen en zelf heb ik weinig
te melden. Ik ontmoet geen 'interessante mensen' in deze
bunker, want criminele jongeren zijn mensen die op een verkeerde manier proberen de verveling te verdrijven.

Hoe langer ik zwijg, hoe onzekerder ze wordt.

Ik volg de blik van Sandra en merk dat ze zich zorgen
begint te maken om Brian. Hij staart maar naar het plastic
bekertje met gifroze frisdrank dat voor hem staat. Het hele
zwakbegaafde hoofd drukt verdriet uit. Geen woede of haat,
alleen de treurigheid van iemand die niet durft te janken
waar iedereen bij is. Hij begrijpt het niet, zijn moeder had
hem wel drie keer beloofd dat ze nu écht zou komen... Er
moet iets gebeurd zijn. Een ongeluk of aardbeving, overstro-
ming kan ook.

Eerst dringt het niet tot me door wat ze zegt, mijn moeder.
De toon alarmeert nog voor de woorden betekenis zoeken,
'Ron, ik moet je iets vertellen.'

Ook dit zouden we zwijgend kunnen afhandelen. Heb het
al zo vaak gehoord. Die verontschuldigende toon, het beroep
op begrip (begrip!). Het onwankelbare geloof dat het echt
déze keer —

Ik zie Sandra opstaan. In twee, drie stappen is ze bij Brian,
fluistert: 'Kom nou maar, 't is beter dat je boven wacht. Ik
blijf wel even bij je, oké?'

Hij knikt en sloft zonder protest achter haar aan, te veel
teleurgesteld voor woorden. De anderen staken even hun ge-
snater als hij voorbijschuifelt. Of er iemand begraven wordt.

'Hoor je me wel, Ron?'

'Jaja.'

En ze herhaalt, dapper of ze er echt in gelooft: 'Wij gaan het dus weer proberen samen, zeker weten.'

Het verschil tussen haar en mij is dat zij gelooft in een sprookje. Dat sprookje staat ingelijst op de piano waar nooit meer op gespeeld wordt. Het is het portret van een man die gitaar speelt, zijn handen strelen de snaren. Vóór hem een microfoon waarin hij ongetwijfeld romantische of stoute liedjes giet. Hij lacht, die man, zeker van zijn talent en de liefde van de vrouw die om zijn nek hangt. Een witte vrouw, wit van een huid die nog bleker glimt in het flitslicht. Ook zij lacht en ze kijkt alsof ze jaloers is op die gitaar.

Dat is de droom dat bij ons thuis op de totaal ontstemde piano staat.

Het blijft altijd een raadsel voor kinderen dat ze ooit door twee volwassenen verwekt zijn. Wat die twee in elkaar gezien hebben. Dat ze zo zorgeloos gelukkig zijn geweest!

En toch is dát het sprookje dat door mijn moeder om de zoveel tijd en tegen beter weten in wordt afgestoft.

'Ga nou niet zo zitten kijken, Ron.'

'Hoe zitten kijken?'

'Zo nors. Alsof je er helemaal niet bij hoort.'

Dat heeft ze goed gezien.

'Hij is helemaal gestopt.'

Met ademen? Goed nieuws!

'Echt, hij gebruikt niet meer. Niks meer.'

Ook zijn handen niet?

'Het is een ander mens, echt waar.'

Naïeve, goedgelovige vrouw. Een gebruiker zal altijd gebruiken. Zelfs hier in de gesloten inrichting merk je het elke dag.

De enige die niet elke dag hoeft te gebruiken is Joop, omdat zijn lijf nog vol zit als hij opstaat. ('Mijn apotheek.')

Sandra komt terug, loopt traag langs de tafeltjes. Gunt mijn moeder geen blik, kent haar te goed. Zoals ze aan onze houding kan zien wat er gezegd is.

'Zég nou wat, Ron, alsjeblieft!'

Ze raakt mijn arm aan. Het schroeit.

Over twee of drie weken, misschien zelfs vier, zal ze hier niet verschijnen. Ziek, dat wil zeggen: ontoonbaar, iets gebroken, gekneusd. Kan niet lopen, staan, zitten. Het is zo wanhopig voorspelbaar dat ik het liefst net als Brian nu boven zou zitten, alleen op mijn kamer, zonder bezoek.

'Het is... ook beter voor jou.'

Gelukkig slikt ze in wat er vroeger onvermijdelijk op volgde: een jongen heeft een vader nodig.

Hijgend, hoogrood, komt een fotomodel binnenrennen, veegt een krulletje van haar voorhoofd. Beeldschone zwarte vrouw en ze weet het. Lachend tegen Sandra: 'Moest zo onwijs lang op die bus wachten! Oeioeioei, man. Maar,' — overdreven verbaasd — 'waar is mijn eigen suikersnoesje?'

'Boven,' zegt Sandra. Er zit een scherp randje aan haar stem.

'Boven? Maar hij moet meteen komen, mijn sweetie, heb hem zooo gemist.' Ze gaat elegant aan het enige lege tafeltje zitten, naast ons. Een zwoele bloemengeur strijkt langs. En tegen de toeschouwers: 'Is me dát haasten.'

Sandra verwijdert zich zonder een woord.

De mooie zwarte vrouw bestudeert haar lippen in een spiegeltje, strijkt nog eens het eigenwijze krulletje van haar voorhoofd. Een puntige roze vingertop volgt de boog van de wenkbrauwen en opeens vangt ze mijn blik in het spiegelbeeld. Tuit de lippen, kust de lucht en schatert het uit om mijn schrik. 'Je zoon wordt een echte player, dat zie je zo!'

Dan verschijnt Brian in de deuropening. Eerst nog twee boze rimpels, maar bij elke stap in de richting van de vrouw die op hem wacht wordt zijn gezicht gladder en vrolijker, tot hij wordt opgenomen in de zoete bloemetjesgeur.

'Dat was toch de jongen die hier net zo zielig zat te staren?' vraagt mijn moeder.

En ik, ik kan niet nalaten ze onbarmhartig te vergelijken. De zwarte vrouw in haar strakke kleren, op hoge hakken, met haar uitbundige bewegingen, de nagels zorgvuldig gelakt alsof ze op weg was naar het carnaval. Ze klopt Brian, die zwaar over haar heen hangt, lachend wat op de rug of het om een soort pop gaat en negeert de gesmoorde snikken. Ze kijkt om zich heen en vindt overal bewondering. Knipoogt zelfs naar me. Zo'n moeder kun je dus ook hebben: vrolijk, mooi en wispelturig. Iedereen weet dat ze met die voorbeeldig verzorgde handen haar zoon afranselt als ze die weer niet in toom kan houden. En de 'ooms', die elkaar in hoog tempo opvolgen, zijn geen haar beter.

Het uur van de bezoeking, noemt Joop het, en hij heeft gelijk want het blijkt altijd weer een teleurstelling. Hoe is het? vragen ze. Maar hoe valt dat uit te leggen, de verveling, het altijd op je hoede moeten zijn in een wereld waarin geen mens te vertrouwen is, de uren die zich gapend rekken dag in dag uit tot het licht dooft en de dromen op je afspringen. En hier, in deze neutrale ruimte tussen gevangenschap en vrijheid, een soort niemandsland dus, zit iedereen krampachtig normaal te doen. Zij lopen straks weer door de glazen deuren fluitend naar buiten, zomaar op straat lopen en niet weten hoe rijk want vrij je bent. *Wij* zitten vastgekleefd en moeten net zo lang nadenken over de slechte dingen die we hebben gedaan tot we vanzelf weer een goed mens worden. Ge-woon. En als de 'spieg' ('Ik ben de psychologe en ik wil je helpen') vraagt: hoe zie je jezelf over vijf jaar, waar ben je dan in de maatschappij, dan zal ik natuurlijk antwoorden zoals iedereen: huisje-boompje-beestje (wonen, wijf, werk). Maar welke baas zal het in zijn hoofd halen een halve moordenaar als jij aan het werk te zetten, welk meisje laat haar ouders kennismaken met iemand die gezeten heeft, en waar zal ik anders kunnen schuilen dan in een kraakpand? Vaak denk ik: wie weken, maanden, jaren vastzit omdat hij slechte dingen heeft gedaan, kan vroeg of laat maar tot één conclusie komen: ik *ben* slecht, mijn vader had gelijk als hij me zogenaamd zonder reden sloeg. Hij wist al heel vroeg wat er in me zat.

Eerst heeft je vader je geslagen, dan sluit de rechter je op: je moet dus wel door en door slecht zijn. Dat is de enige logische conclusie, dat is de reden van ons verblijf hier, iedereen weet het. En toch zitten we met z'n allen in deze rustige ruimte te babbelen en te doen of er helemaal niks aan de hand is: kleine vergissing, jeugdzonde eigenlijk, kop op, komt wel goed. Fokking teringkomedie.

Alleen Brian laat zich gaan, bedwelmd door de geur van vrijheid en genot die zijn moeder meebrengt — daaraan kan je zien dat hij nog jong is, minder begaafd in mooi weer spelen tegenover anderen, de hogere kunst van SWG.

Waarom springt er hier niemand boven op een tafel om stampvoetend te gaan krijsen tot onze trommelvliezen splijten?

'Wat is er toch?' vraagt ze.

De angst van vroeger. Met die vliegtuig. 'Vliegen als een vogel, is dat niet fijn?' Nee, dat was niet fijn. Ik ging alleen met m'n vader, mijn moeder wou niet mee. Voelde zich al een hele tijd down. 'En bovendien, de mensen daar, die ken ik nu wel. Ze leven alleen voor hun plezier.' En m'n vader: 'Waarvoor anders?' Het was de enige keer dat ik hem spontaan, oprecht en eerlijk zijn gouden tanden bloot zag lachen.

'Alle jongens lopen daar rond met een mes, dat is geen goeie omgeving voor een kind.'

Ook dat vond hij grappig: 'Goed gezien, ja.'

Met mijn vader op Schiphol. Hij had een net pak aan, op z'n borst hing een soort das, een sliert, een dunne tong van leer. Hij kon niet rustig blijven zitten, moest rondlopen, krantje kopen, koffie. Ik moest ook koffie drinken, 'Kom op, jij bent een man, jij moet *leren* drinken. Eerst koffie, dan bier, dan echte booze, man.' Dus bestelde hij meteen rum. Hield het glas onder mijn neus, mijn hoofd duizelde. 'Slokje? Nee? Je bent toch geen suffe macamba!' Als hij zoiets zei, keek hij altijd om zich heen, zocht publiek — misschien nog een rest van de tijd dat hij met zijn gitaar op het podium stond.

Holle stemmen riepen vertrekkende vluchten om, de namen van mensen van wie de bagage uit het ruim werd gehaald als ze niet met een rotgang door de slurf naar het vliegtuig kwamen rennen. 'Kunnen ze met hun koffer weer naar huis,' legde mijn vader uit, en opnieuw zocht hij toehoorders. Het volume van zijn stem steeg naarmate zijn glas leger werd.

Smakkend zat hij naar de vrouwen te kijken, ze aan te halen, praatje te maken. Toch zou hij zich in deze openbare ruimte min of meer moeten gedragen. Daarom was ik niet echt bang, schaamde me alleen. Het laatste glas sloeg hij in één keer achterover. Hij stond op, wankelde, boerde uitbundig en beende met stijve passen naar de plek waar de andere reizigers allang in de rij stonden.

Hij schoof onvast door het smalle gangpad, stootte zijn heup tegen de stoelleuningen. Ging eerst op een verkeerde plaats zitten, kreeg toen de stoelriem niet vast, de smalle vingers van de stewardess moesten hulp bieden. Haar plastic glimlach kon haar afkeer nauwelijks verbergen. Hijzelf moest daar weer reuze om lachen natuurlijk, hij strooide links en rechts grappen rond, die overal genegeerd werden of hij een andere taal sprak. Ik deed net of ik niet bij die clown hoorde.

Eindelijk begon het toestel te rollen over een startbaan die donker zag van de regen. Stoel rechtop, blik strak gericht op de trillende achterkant van de stoel voor mij.

De lichten werden gedimd, alsof de piloten zich daardoor beter konden concentreren.

Het werd heel stil in het toestel, zelfs de Antillianen die altijd en eeuwig hun mond roeren, slikten hun adem in.

De motoren loeiden, het ijzer trilde, de schroeven schoten los. Hoe zou zo'n smalle buis al deze doofstommen met hun belachelijk zware koffers en pakketten de lucht in kunnen tillen?

Als er nu ook maar één begint te gillen, breekt de orkaan los.

Het monster klom.

Eén kort hevig moment en het toestel zal zijn voorbestemde baan verlaten om brullend uit de hemel te tuimelen, neus gretig recht naar de oprijzende grond.

Ik keek naast mij. Mijn vader hield de armen gestrekt, het achterhoofd perste zich in de stoel, de spieren in de nek stonden strak of hij zich met z'n benen afzette, het toestel met alle macht naar boven duwde.

Zijn doodsangst maakte mij op slag kalm.

Pas toen het vliegtuig zijn balans vond, onverstoorbaar of het door de wolken gedragen werd, liet de brede schommel aan de andere kant van het gangpad de halsketting met het grote gouden kruis op haar borst vallen en hield op met bidden. De stewardess begon de veiligheidsinstructies uit te leggen en dat betekende natuurlijk dat er geen gevaar meer bestond. Het gieren van de motoren zwakte af tot een goedmoedig gegrom. Mijn vader bestelde een rum en begon een overdreven opgewekt gesprek met de vrome vrouw aan de overkant. Het bleek dat haar zus nog met een oudtante van m'n vader op school gezeten had, wat een small world, toch?

Het werd geen succes, deze reis van vader en zoon. Heim-
wee. Moedersjongetje. Papkindje. Het waaide altijd op die
eiland, ook 's nachts hoorde je nog deuren en ramen klapperen. Het hield je wakker, net als de stemmen in de woon-
kamer van onbekende mannen en vrouwen die allemaal
met elkaar getrouwd waren geweest. Ik kon al die lachende
gezichten die tante of oom wilden heten niet uit elkaar houden.

Een keer nam hij me mee naar een hotel, helemaal verlaten aan een baai zo glinsterend dat je ogen er pijn van deden.
'Hier hebben je moeder en ik elkaar ontmoet,' zei hij plechtig. 'Was vroeger echt een hot spot.' Mijn vader wees op het
bordje FOR SALE: 'Misschien ga ik het wel kopen. Het is een
goeie plek, al is er wel een straffe hand nodig. Maar de plek
is niks mis mee.' Hij praatte door, beschreef hoe binnen en
buiten onder zijn leiding een nieuw gezicht zou krijgen. Ik
verstond niet alles, want ondertussen joeg de wind die het
eiland regeerde door het bouwsel heen zodat het houtwerk
aan alle kanten kreunde en klepperde. 'Nee, een mooie plek;
een plek met een verleden.'

Ik zie mijn vader liever stug en kwaad. Ook omdat hij harder slaat wanneer hij opeens sentimenteel wordt.

We gingen niet naar binnen, het krot kon elk moment in
elkaar donderen. Toen we eindelijk wegliepen, draaide hij
zich nog een keer om. Bleef staan. Hield de handen gevou-
wen voor zijn witte broek alsof hij bij een open graf stond.

Later kreeg ik nog oorontsteking ook, die spontaan genas
toen de wielen van ons vliegtuig de poldergrond van Schiphol raakten.

Nee, geen succes.

Om die reden ging mijn vader voortaan alleen 'terug'.

Gouden weken. Elke dag pannenkoeken met mijn naam
in stroopletters of onder een dik pak sneeuw van poeder-

suiker. In mijn moeder stond dan een andere vrouw op, overlopend van plannen en vrolijkheid. Superactief. We gaan naar een pretpark. 'Wat is een pretpark?' 'Een pretpark is iets... met allerlei attracties.' 'Wat zijn attracties?' 'Leuke dingen, zoals... draaimolens ofzo. Nee, botsautootjes, dat is meer iets voor jou, of de achtbaan. Gaan we samen in de botsautootjes!' Informeren bij het vvv, opbellen, de voorbereidingen kostten soms een halve week. Het weer in de gaten houden natuurlijk, 'al zijn veel attracties overdekt tegenwoordig'. En als het er dan eindelijk van kwam, sloeg in de bus al een zekere loomheid toe. 'We hadden een van je vriendjes mee moeten nemen. Jeffrey? Nee, ik heb liever niet dat je daarmee speelt. Je weet wat er met Marvin gebeurd is. Doodgestoken op klaarlichte dag. Zomaar op straat, waar moeders met kinderwagens...' Ze veegde om de vijf minuten haar gezicht droog, een slecht teken. 'Je zou trouwens aan sport moeten doen. Daar kom je ook makkelijker vriendjes tegen. Hockey ofzo. Judo desnoods. Een vereniging is belangrijk, daar leer je mensen kennen waar je je leven lang nog plezier van hebt, echt waar. Je kan niet de hele dag lezen, de boeken van die griezelschrijver, brrr. Zo'n uitstapje als nu, dat moesten we vaker doen. Maar ja, je weet hoe je vader is... Ik bedoel natuurlijk met z'n werk enzo.'

Dan viel ze van het ene moment op het andere stil, net of de batterij op was. En als we de vrolijk klapperende vlaggen van het pretpark bereikten en aansloten in de rij voor de kassa's, kwam er helemaal geen woord meer uit. Of een zwak: 'Ik weet niet wat ik heb vandaag.'

De rest van de dag zat ze dan op het terras te roken, starend naar de kinderen die huilend naar hun moeder renden of ruziemaakten.

En opeens was het: 'Laten we maar weer teruggaan. Ik heb trouwens ook mijn puzzelboekje vergeten.'

Thuis zat ze rokend naar de muur te kijken, zelfs te mat voor de opmerking dat die muur nu toch eindelijk eens gewit moest worden. 'En dit is daarvoor een mooie gelegenheid, nu je vader weg is...'

Op zulke middagen begreep ik dat ze helemaal niet wilde dat ik op een vereniging (voetbal, hockey of desnoods judo) ging. Eigenlijk wilde ze maar één ding: haar zoon vastlijmen met stroop of begraven onder een dikke laag poedersuiker. En als hij even bewoog: Ik word stapelgek van je, weet je dat, écht gek.

Hoe langer ik met haar alleen bleef, schommelend op de golven van haar onvoorspelbare stemmingen, hoe meer ik bijna begon te verlangen naar de donderbuien van mijn vader. Wist je tenminste waar je aan toe was, wie niet horen wil moet maar voelen.

'Wat is er,' vraagt ze nu, 'waar denk je aan, Ronnie? Waar zit je toch de hele tijd aan te denken?'

Het moet een marteling voor haar zijn, een uur lang zitten zonder sigaret. Dat heeft ze dan toch maar mooi voor mij over. 'Het duurt zo lang, mamma.'

Ze begint, ze probeert uit te leggen dat 'ze' me deze keer vast en zeker zullen laten gaan. 'Je bent zoveel rustiger geworden, ik merk het iedere keer weer. Als ik nog denk aan de tijd —'

'Denk daar dan niet aan.'

'Die spieg —'

'Psy-cho-loog heet die man.'

'Die zal het ook merken, zo iemand heeft je meteen door. Als je die anderen hier ziet...' Ze maakt een slap gebaar dat de hele kwetterende ruimte moet omvatten, tot aan Brian toe, die naast ons zijn hoofd in de zoet geurende hals van zijn mooie moeder heeft begraven.

Mijn moeder zal altijd volhouden: Het is een goeie jongen,

echt. Slechte vrienden, dat wel. Maar toch, in een andere omgeving, met een baan... hij heeft al een diploma fitnesstrainer! En met een andere vader — nee, dat zegt ze natuurlijk nooit van d'r leven.

'Ik weet zeker dat ze, hoe heet het ook al weer, die maatregel?'

'De pij-maatregel. Zegmaar jeugd-tbs.'

'... dat ze die maatregel niet gaan verlengen. Nu je gewoon rustig bent geworden.'

'Ik bén helemaal niet rustig. En ook niet gewoon, zoals iedereen.' Ik had bijna havo.

'Toe nou, Ronnie.' Ze probeert weer de hand vast te pakken. Die zich terugtrekt. 'Als je naar die... types kijkt —' Haar vinger wijst onbeschaamd in de richting van Joop, die in het gangpad staat te stuiteren. Een spookverschijning. Als zijn 'vriendjes' (in werkelijkheid leveranciers) op bezoek komen, stelt hij zich extra aan. Hij vertelt net een mop, zo luid dat we het allemaal kunnen volgen: 'Komp een man bij de dokter. Zegt: Dokter, niemand luistert naar me. Dokter drukt meteen op een knop: Volgende patiënt!' Zijn publiek lacht overdreven hard. Hij ziet mij, knipoogt. 'Die moeten jullie onthouden. Gaat over *ons*.'

'Dat is de enige normale hier.'

'Die jongen? Moet je die ogen zien! Nee, die spoort niet, daar moet je bij uit de buurt blijven.'

'Hij komt op het eerste gezicht wat... heftig over. Maar toch maakt-ie prachtige tekeningen en gedichten enzo.'

Ze zucht: 'Wat moet daar later van worden?'

'Hij wil een winkeltje beginnen. Tattooshop, of nee: een tattoostudio.'

'Maken ze ook films dan?'

'Hij ontwerpt tattoos. Die kan je dan uitkiezen en in je huid laten zetten. Ik denk zelf weleens...'

Ze slaat van schrik een hand voor de mond.

'Niet mijn hele lijf, hoor. Alleen rug en armen, om te beginnen.'

'Alsjeblieft, Ronnie, doe me dat niet aan. Je krijgt het er nooit meer af. Je hele leven loop je met zo'n... zo'n teken rond.'

Beseft ze eigenlijk wel wat ze zegt? Dat het daarom begonnen is, dat je iedereen meteen laat zien: ik ben slecht, rot op? Schorem, geteisem, trash?

Ze kijkt stiekem op haar horloge. Een uur lang in een volle ruimte zonder sigaret. Ze zucht: 'Iedereen zegt dat je deze keer vrijkomt.'

'Wie zegt dat mamma, wie?'

'Ik... Ze hebben me gebeld.'

'Wie?'

'Iemand, ik weet niet...'

'Man of vrouw?' Sandra?

'Een man.' Ze glimlacht, maar haar onderlip trilt.

'Sprak-ie netjes of ruw?'

'Hij deed heel beleefd.'

Het wordt rumoerig in de zaal, de dans van de junk heeft iets losgemaakt.

'Een p... een psychiater?'

'Ik dacht het niet.'

'De advocaat?'

'Hoor ik nooit meer iets van.'

'Wie, mamma, wie, wie?'

Ze schudt het hoofd: 'Er zijn zoveel van die... bureaus. Reclassering, jeugdzorg, forenseninstituut, buurtregisseur, ik kan het allemaal niet uit elkaar houden.'

De bel gaat. Gestommel, omhelzingen. De moeder van Brian drukt een kus op het warrige haar van zoonlief, duwt dan zijn schouders weg. En hij ontwaakt, wrijft zich in de ogen, kijkt rond. Ziet en herkent me niet.

Ze staat op, schudt hem van zich af. Omhelst hem nog één keer want ze is vrijgevig met haar parfum. Dan zoeken haar lonkogen over zijn afhangende schouders heen al naar spannender aandacht. De puntige nagels zwaaien dag-dag en ze is hem vast en zeker al vergeten voor ze de glazen deur uit is. Zooo druk!

'Volgende keer moet je wat meer over jezelf vertellen,' zucht de vermoeide vrouw naast me. Ze aarzelt: 'Dat van je vader, dat is nog niet helemaal zeker, weet je.'

'Wát van mijn vader?'

Ik laat het haar herhalen, als straf.

'Dat wij... dat we het nog een keer gaan proberen.'

Ze liegt, ik zie het aan haar trillip.

Hij zit zich nu thuis al weer op te winden dat ze zo laat is. Ik ben boos dus ik leef. *Als je een puppy elke dag slaat, wordt hij vanzelf vals.* Ik sta op en het lokaal kantelt, helt over naar rechts, mijn hand zoekt houvast, de vingers glijden weg van het spekgladde plastic, mijn rechterknie buigt door en de ruimte verliest zijn evenwicht, slaat los.

Misselijkheid golft omhoog.

Als ik bijkom proef ik de bittere smaak.

Maar ik sta, op eigen kracht.

Geen mens heeft mijn zwakte opgemerkt. Brian slaapwandelt voorbij.

Bij de glazen deur staat Hamid nog eens druk en driftig na te doen hoe hij ontsnapt is, gewoon meelopen weet je, beleefd zeggen 'dag maneer'. Ook hij is te gespannen, er smeult iets.

Mijn moeder gaat voor me staan. Omarming, niet langer dan nodig, ik voel de spanning in haar rug die zich verhardt.

Hoofdschuddend loopt ze weg.

Het laatste wat ik van haar zie is een halve hand.

Control geeft het oké-sein, de groep begint aan de terug-tocht.

Glazen deur na glazen deur die op het bevel van het plastic kaartje openspringt.

Geen tralies, want alles is in deze door-en-door doordachte gevangenis anders dan je verwacht. Zo zijn ook de muren niet wit, maar in vrolijke pasteltinten opgeleukt, net een kleuterschool. Hier en daar een plakbord met lachende foto's van de sportdag, altijd vakantie hier. ('Weet je,' zei Joop toen hij hier net binnen was, 'dit is eigenlijk een doorzoninrich-ting.' Zelf houdt hij meer van het woord 'Huis van Bewa-ring', 'want ze bewaren ons hier net zo lang tot we brave mensen zijn geworden'.)

Wel sloten, geen sleutels. Geen tralies, wel glas. Een super-dikke laag glas. Kogelvrij? In ieder geval bijna geluidsdicht. Alleen het gejoel van een hele groep galmt erdoorheen.

Ondanks alle veiligheidsvoorschriften toch een incident. Vlak voordat we onder Control doorlopen, krijgen we een staartje van een meisjesgroep in het oog. Orkaan van kreten, fluitsignalen, gegil giert door de holle gangen. Daarna is het even plotseling weer stil. Zo is seks in dit Huis van Bewa-ring, geilheid achter glas.

Op de afdeling blijft het onrustig. Een Abdel of Abdoel kookt (alweer couscous), de groepsleiders zijn weinig spraak-zaam (geen SWG). Sandra is stil, ze draagt het verraad van Stanley nog met zich mee. Als een van de mokro's de houten lepel wil aflikken, valt ze uit. Ze zeggen niks terug deze keer, niemand durft bijdehand te doen. Wel hoor ik een van hen fluisteren als we opstaan: zeker ongesteld. Ze negeert het, áls ze het al verstaan heeft.

Bij het opruimen alarm: er ontbreekt een mes in de keu-ken. 'Er wordt hier niet meer gerookt voor het is gevonden.

Vandaag niet, morgen niet. De hele week niet. Een mes is een wapen, mijne heren.'

Uiteindelijk komt de KV ermee aanzetten. Lag onder de ijskast, zegt-ie. Dit soort geintjes moet hij niet vaker uithalen. Ik kan met Hamid, het mokro-opperhoofd, gaan praten. Uitleggen dat de hele groep niet hoeft te lijden onder het gedrag van die ene kankerkop in zijn eeuwige witte trui, witter nog dan het gebit dat hij voortdurend ongevraagd bloot lacht.

Brian zit alweer voor de spelcomputer. Het groene monster baant zich meedogenloos ('Ik ben de grote wreker!') een weg door dikke muren die verkruimelen onder zijn vuist. Zoals hij eerder tegen zijn moeder aan lag, in het bloemetjesgras, zo is hij nu volledig verdwenen in de tekenfilmramp. In een Huis van Bewaring heeft het zijn voordelen als je zwakzinnig bent. Alle puzzels die je hoofd moe maken wuif je rustig weg. No problems.

Een vrouw komt voor me staan: 'Ronald, ga je even mee?'

Dubbel alarmsignaal: diepe frons tussen de wenkbrauwen en dat 'Ronald' in plaats van 'Ronnie'. Ze is mijn mentor, maar toch, zelfs de manier waarop ze loopt verraadt oorlog. Ik volg.

Een gesprek achter glas, in de kooi van de groepsleiders.

Al voor ik zit laat ze me het briefje zien. Streng: 'Dit heb jij zeker geschreven?'

Het heeft nauwelijks zin te ontkennen, maar ik doe het toch, puur gewoonte, niemand geeft hier ooit iets meteen toe: 'Kan van iedereen zijn.'

'Nee, Ronald, nee, *niet* iedereen kan zulke blokletters tekenen. De meeste jongens hier kennen nauwelijks de letters van het alfabet, dat weet jij net zo goed als ik.'

Te-ring.

'En bovendien, een woord als "nadrukkelijk" is veel te moeilijk voor ze. En verder, er staat geen énkele, niet één spelfout in. En ten slotte, ik weet dat jij het bent. Ik ken jou door en door.'

Shit! Had iets moeten schrijven als 'jij wort bedrogen' of 'niet te vertrauwen'. Stom-dom.

'Dit,' ze tikt met haar nagels tegen het onschuldige papier alsof ze er een gat in wil slaan, 'dit is geschreven door iemand die meer mogelijkheden heeft gehad dan die... die stumpers hier. Iemand die al die kansen verziekt heeft omdat... omdat hij zo nodig...'

Ze buigt het hoofd. Haar hand tast naar, tast in de tas die altijd wijdopen naast haar staat.

Dan kijkt ze op: 'Soms denk ik: het heeft allemaal geen zin. Volslagen zinloos, al die energie die wij hier opbranden om van jullie toch nog normale mensen te maken. Iets wat lijkt op een gewoon mens dan.' Na elke zin die ze uitspuugt, pauzeert ze om op adem te komen. 'Waste of time. Weet je wat mijn voorgangster zei, Olga, die heb jij geloof ik niet gekend? Burn-out, totaal afgeknapt, een wrak gewoonweg. Olga die zei: "Ze moesten ze allemaal naar een eiland sturen, het hele stelletje bij elkaar. Elke week een boot met een paar balen wiet erheen en ze zijn dik tevreden. Laten ze zichzelf en elkaar in alle rust maar kapotmaken. Zolang wij er maar geen last van hebben. Op een eiland. Onder elkaar." Dat zei Olga. En steeds vaker begin ik te denken... Op een eiland en dan laten zinken. Of een tsunami eroverheen.' Haar stem is te hoog, elk moment kan ze losbarsten in een hysterische huilbui. Alsof het mijn schuld is.

Ik kijk om en wat ik zie, of liever, *niet* zie maakt mij echt bang. Hij is er niet, de witte trui heeft zich teruggetrokken. De witte trui zit zich nu ergens rot te lachen omdat ik het volkomen verknald heb.

'Maar...'

'Wát, Ronald? Waar haal jij eigenlijk het recht vandaan

om *mij* te waarschuwen? Waar haal je het gore lef vandaan? Iemand anders kan net zo goed mij voor *jou* waarschuwen. Want zo mooi is het niet wat jij hebt uitgehaald, of ben je daar nog steeds zo trots op, je hebt bewezen een *man* te zijn? Erbij hoorde? Zo gaat dat toch bij jullie, niet?' Een hoge, schelle lach.

'Geloof me, Ronnie, ik heb geen enkele waarschuwing nodig, echt niet. Want ik ben net zo geworden als jullie, *ik vertrouw hier helemaal niemand meer.* Dus je hoeft niet bang te zijn dat ik me ooit nog in iemand zal vergissen.'

Ik durf haar niet aan te raken. Haar pols die daar voor het grijpen ligt. Dat zou het stomste zijn wat je doen kan. Ze is mijn Sandra niet meer. Ze is een ander geworden, even hard en argwanend als wij.

En ze besluit, zonder mij aan te kijken: 'Ga nu maar. Ik wil alleen zijn.'

Een half uur later zie ik haar met de KV zitten smoezen, Engelse les. Fuck you mister, fuck your mother, fuck your brother, fuck the fucking day that you was born.

Hij heeft haar gestolen.

's Avonds ontdek ik opeens dat ik al drie, vier minuten of een kwartier sta te staren naar de filmbeelden. Het publiek kent alle wendingen van het verhaal maar geniet daardoor dubbel. Het lijkt wel of ze steeds harder lachen, de pedofiel kraait, Hamid giechelt van zijn stoel en vlak voor elke grappige scène vertelt Brian snel wat er nu weer gaat komen.

'Whazzup, dude?' vraagt Joop, die geruisloos naast me is komen staan. 'Troubles?'

Ik knik in de richting van de KV en zijn liefje.

'Weet je wát een vette film is,' gaat Joop onverstoorbaar door, '*Groundhog Day.*'

'Nooit gezien.'

Hij begint het verhaal na te vertellen. Zijn samenvatting blinkt niet uit door helderheid maar zoveel begrijp ik nog wel, dat het om de cameraploeg van een televisiestation gaat. Moeten ergens ver op het platteland een of andere landbouwtentoonstelling coveren. 'Welke boer het mooiste wrattenzwijn heeft gefokt, weet je wel. Dat soort dingen. Saai dorpje, verder geen reet te doen. Overal tote Hose. Niks te beleven, behalve de schoonheidswedstrijd voor het mooiste wrattenzwijn. Crew verveelt zich kapot. Ik kan het weten, heb zulke dingen zelf meegemaakt, weet je wel.'

'Heb jij dan bij de televisie —'

'Wat ik allemaal niet heb meegemaakt, gab, dat wil je niet weten. Waar was ik?'

'Wrattenzwijn. Film.'

'Daar zitten ze dus, in zie middle of nowhere. Ze filmen het mooiste wrattenzwijn van boven en van onderen en van opzij. Ook het op een na mooiste wrattenzwijn en zelfs het op twee na mooiste wrattenzwijn. Laden de hele handel in, wegwezen dus.

Maar mooi niet, want alle wegen dichtgesneeuwd.

Zit niks anders op dan in het wrattendorp overnachten. Landerige mood, te veel drank enzo, je kent dat wel. Hoofdpersoon gaat laat naar bed. Bekende filmster, hoe heet hij ook alweer? Doet er niet toe.

Nu moet je opletten.

De hoofdpersoon, zat ook in die film met die spokenvangers, hoe-heet-die-ook-alweer? Affijn. Hij wordt dus wakker en ziet meteen de sneeuw. Nóg dikker. Wat moeten ze doen?

Weer naar de opening van de wrattenzwijntentoonstelling. Alles precies zoals de dag daarvoor, weet je.

Precies zo.

Hangen in het enige café. Te veel drinken. Volgende ochtend: hoofdpersoon wakker, dik pak sneeuw, moeten weer naar de opening van de rattenzwijntentoonstelling.

Begrijp je het?

De tijd is in dat fucking klotedorp vast komen te zitten. Of liever,' Joops hoofd schiet naar links-rechts, speurhond op jacht, 'de tijd blijft dus haken. Het tandrad van de tijd valt steeds weer een paar tandjes terug – heb ik dat even mooi gezegd of niet soms? Het is natuurlijk om gek van te worden, fucking crazy, man, de tijd wil niet vooruit. Niet vooruit te branden! Alsof de tijd het zo oergezellig vindt in dat rattenzwijndorpje dat hij nooit meer weg wil. Capisce? Elke dag wakker worden in hetzelfde teringdorp, man, de rest van je leven!' Hij grinnikt, zijn lichaam, zo mager als gras, schudt en zwaait van de lach. 'Fucking loco, man.'

'En hoe loopt het dan af?'

'Wat?'

'Die film?'

'Geen idee. Hij loopt af, dat is zeker. Anders stond ik hier niet, toch?' Mompelend herhaalt hij het verhaal, bijna in dezelfde woorden (tandrad van de tijd), het wordt steeds geiniger, het lange lijf verkneukelt zich.

En dan opeens kijkt hij me recht in het gezicht: 'What's troubling you?'

Je moet het Joop nageven: al lijkt hij nog zo vaak te verdwalen in zijn slingerverhalen, een dun contact met de realiteit blijft hij altijd houden, bij vlagen dan.

'Zeg het maar. Ome Joop staat klaar met raad en daad.'

'Ik moet steeds denken aan –'

Het gezelschap voor de televisie barst uit in een bulderlach.

'Can't hear you, dude.'

'Ik moet steeds denken aan wat de Torkoe laatst aan tafel vertelde, toen een van die mokro's vroeg –'

'Bill Murray.'

'Wat?'

'Bill Murray. Zo heet de hoofdrolspeler van die film, nu weet ik het weer.'

'Ik moest steeds denken aan wat de Torkoe laatst vertelde, aan tafel. Toen Saïd vroeg —'

Onmiddellijk keert een van de jongens voor de televisie zich om. Gelukkig wordt het opgeschoren hoofd meteen weer teruggezogen door het gieren van de filmbeelden.

'Zie ze daar eens zitten,' zegt Joop hoofdschuddend, 'lachen, liegen en lawaai maken. Alsof er niet een grote vloedgolf op ons wacht, die... Je weet toch dat het ijswater van twee kanten gaat komen, hè, dat heb ik je toch verteld?'

'Zoiets ja.'

'Waar hadden we het eigenlijk over? Ik kan mijn hoofd er niet bij houden met die teringherrie. Weet je, soms hoor ik mezelf praten en dan lijkt het net een ander die mijn lippen gebruikt, heb jij dat ook? Maar waar hadden we het eigenlijk over, weet jij het nog? Nee? Je zit vandaag niet lekker in je vel, man. Ik ken dat.'

'Iemand vroeg de Torkoe waarom er zo weinig Turken in deze gevangenis zitten. En die ging er rustig op in, begon uit te leggen: als bij ons een jongen van het rechte pad af dwaalt — hij gaat niet meer naar school, vechten op straat, winkeldiefstal, daar begint het meestal mee — dan is er altijd iemand die alarm slaat. De buurt komt bij elkaar en we overleggen met het gezin. Soms is moeder ziek. Of vader vaak op reis, komt ook voor.

Daar praten we over en daar vinden we een oplossing voor.

Er moet altijd iemand zijn die de jongen thuis opvangt en met hem praat. Een soort voogd, ja.

Iemand die de verantwoording op zich neemt. Iemand die hij kent en respect geeft. Begrijpen jullie?

Ja, wij begrepen het heel goed.'

Joop knikt en vindt het chill dat ze dat doen, die Torkoes.

Heel slim. Iemand uit de eigen kring als voogd aanwijzen. Niet iemand die zelf geen kinderen kan krijgen en dan maar met het uitschot van de maatschappij genoegen neemt.

Hij begint alweer tekenen van afwezigheid te tonen, dus moet ik het vlug uitleggen: dat ik zelf in zo'n familie wil. In de gaten gehouden worden door rustige ouders, vriendelijk gecorrigeerd door de buurt (en als dat niet helpt: streng). 'Dan was deze hele teringrotzooi nevernooit gebeurd.'

Joop komt een stap dichterbij, zijn dunne vingers pakken mijn oor beet: 'Goed luisteren jij. Jij wilt dus een Torkoe zijn?'

'Zoiets ja.'

'Jij, een Hollander met een zwarte vader wil Turk worden. Zo is het toch?'

'Nou...'

Hij kan echt goed luisteren, Joop. Soms denk ik dat er achter dat gefladder van hem en die onnavolgbare gedachtesprongen van ijsschots op ijsschots een scherp verstand verborgen zit. Een machomasker paste hem niet en dus heeft hij er op een bepaald moment voor gekozen als vleermuis door het leven te gaan, ongrijpbaar maar getolereerd, want wel grappig soms. Een straatkunstenaar.

'Nou? Ik vroeg je wat: jij wil Turk worden?'

'Eigenlijk wel, ja. Het valt te proberen.'

Stap terug, neemt me op van kruin tot teen en spuugt dan zijn vonnis: 'Bullshit, man. Fokking bullshit! Je kan ze niet eens verstaan! Ze praten dwars door en over je heen. Wil je ze soms helpen met huiswerk, taal en rekenen ofzo? En elke dag couscous eten of andere bagger die je neus uitkomp. En als je niet uitkijkt laten ze je zelfs een hoofddoekje dragen!'

'Het was maar een idee. Meer een grap eigenlijk.'

Joop schudt zijn hoofd: 'Voor ons is er geen weg terug, neem dat maar van deze jongen aan. Ik, ikzelf, mij hebben ze een uithuisplaatsing opgelegd. Dat was nog helemaal aan het begin van mijn zegmaar criminele loopbaan. Aardige mensen, prettig gezin, kan niet anders zeggen. Altijd vriendelijk en beleefd uitleggen waarom iets ech niet kon of mocht, begrijp je? En eigenlijk was het helemaal zo moeilijk niet. Iedere avond voor het slapengaan (bidden niet verplicht, "het gesprek met God is iets strikt persoonlijks, daar ben je nu nog niet aan toe") je kleren keurig netjes opvouwen en over de rug van de stoel hangen. 's Ochtends bij het ontbijt elkaar groeten en vragen: hebt u prettig geslapen, meneer? En mevrouw ook? Na een week mocht ik ze al Janneke en Rik noemen. Soms weleens spanningen, dat wel. Maar dat werd meteen uitgepraat, want ze waren ook jong geweest — al kon je je dat bijna niet voorstellen. Janneke en Rik, die leken als volwassenen geboren. Geboren volwassenen. En ikzelf was ook hard op weg om een geboren volwassene te worden.

Ze vertrouwden me volkomen. Er waren geen tralies. Alle deuren bleven altijd open, huisdeur, keukendeur. Iedereen kon daar zomaar binnenwandelen, je hoefde alleen maar "volk" te roepen. Tas open op stoel of tafel, portemonnee voor het grijpen, maar daarom juist deed je het niet. Nee, ze konden buitengewoon tevreden zijn over deze jongen.

Zo tevreden dat ze me soms rustig alleen lieten. En dat kon, het leek te kunnen, want de straten van vroeger en het ongedierte dat daar doorheen scharrelde kwamen alleen nog in mijn dromen voor. Maar onschadelijk, geen nachtmerries ofzo. Alles onder controle, ik hoefde zelfs geen pillen meer te slikken.

Op een dag' — hij begint sneller te vertellen want het is duidelijk dat de film zijn idiote hoogtepunt nadert — 'op een kwade dag zoals dat heet, lieten ze me dus alleen in het huis. Niet dat ze die avond niet meer thuis zouden komen, maar er was een of andere plechtigheid of feest in de kerk. Kan ook een dodenmis zijn geweest, wie weet, daar kan ik niet zo goed tegen. En ik *hoefde* ook niet mee als ik niet wilde, want het geloof is een zaak tussen jou en God, daar heeft een ander niks mee te maken dus. Achteraf stom.

Affijn, het wordt laat, het wordt vroeg donker, ik ga naar boven. Trek m'n kleren uit, vouw ze keurig netjes op en hang ze over de rug van de stoel die daar altijd voor klaarstaat. Niks aan de hand daar.

Sla het netjes opgemaakte bed open, glij tussen de altijd kraakheldere lakens en ben weg, doodmoe van alle goeie bedoelingen zegmaar.

Opeens wakker geschrokken.

In het pikkiedonker.

Doodstil in huis, geen voetstappen op de trap.

Ze zijn dus nog niet terug. Kan gebeuren, dodenmis uit-gelopen.

Ik kijk om me heen, mijn ogen beginnen de dingen te onderscheiden en dan zie ik hem.

Daar zit een man.

Dáár op de stoel waar me kleren lagen.

Een man.

Of meer, wat er van een mens overblijft als de wormen hun werk hebben gedaan. Het ske- een g-geraamte dus.

Er is wat licht dat uit de gang naar binnen valt.' Zijn hand maakt een bijna strelende beweging. 'En dat licht strijkt over de witte schedel. Zodat die leek te knikken. Die gozer daar zat naar mij te knikken, verdomd als het niet waar is.

Ik spring uit m'n bed.

Ik ben niet gauw bang, maar...

En ik denk, ik weet zeker: ik moet een teken van leven geven, een teken dat ik ech leef.

Dus steek ik eerst de handdoeken in brand. Hielp niet, waren nog nat. Dan de trap. Trap wilde niet branden, verdomde het. Toen de gordijnen. Man, dat werd een geweldige fik! Van overal kwamen ze met zwaailichten, loeiende sirenes.'

Ik kijk naar de strakke huid van zijn gezicht. De ogen flikkeren of ze nog vonken van het vuur weerkaatsen.

De film is afgelopen, de mokro's spelen de gekste scènes na.

Naast ons blijkt de pedo te staan. 'Ben ooit in een hotel geweest, als je daar alleen al naar de brandmelder keek, ging het alarm af. En —'

Joop steekt zijn vingers uit, pakt de hand van de pedo en schudt die pompend heen en weer. 'Ik dank u voor dit prettige gesprek.'

En weg is-ie weer.

Die eiland

In de doucheruimte breekt oorlog uit: 'Waarom smeer je niet meteen een hele pot gel in je haar?' 'Fok op, man.' 'Jij ziet eruit als een aap met tyfus.' 'Fok op, man, of ik geef jou klappen.' 'Nou gééf ze dan man, gééf ze, kom op.' Daar dwars doorheen het gezang van de voetbalvechter Kevin: 'Het is zwart, het is geel, het is homoseksueel, 't is Vi-tes-se.' En Dennis ertegenin: 'Steek het mes waar het hoort in het hart van Feyenoord!' Ja, de jongens hebben er zin in vandaag. 'Kanker op, man.'

Na het ontbijt klapt de zwarte groepsleider Nelson in zijn roze handen: openbare mededeling (alsof we al niet met elkaar in één ruimte zitten, ruziënd om de pot pindakaas). Nelson is hier om te bewijzen dat er ook brave negers bestaan en dat niet alle groepsleiders en bewakers wit zijn. Hij praat wat traag, alsof hij zich onzeker voelt in zijn nette grijze pak. Ziet er eerder uit als iemand die langs de deuren gaat om bijbels en Jezus te verkopen.

Als het rustig is, deelt hij ons mee dat er goed en slecht nieuws is binnengekomen. Wat willen jullie eerst? Het goede nieuws natuurlijk. Wel, hij wacht glimlachend, het goede nieuws is dat er binnenkort een feest, althans een feestelijke bijeenkomst zal plaatsvinden, waarbij —

'Wat is binnenkort?'

'Over... vier weken.'

'Oo-ooh.'

Nelson gaat onverstoorbaar door: 'Waarbij ook de burge-meester aanwezig zal zijn.'

Wauw, de burgemeester zelf.

'Het gaat om,' hij leest van zijn papiertje, 'een samen-komst die erop gericht zal zijn de wederzijdse band tussen de gemeente en deze instelling te versterken.' Hij probeert ons een voor een aan te kijken: 'Een soort, zegmaar verbroede-ring denk ik. Zij zal —'

'Zij?'

'De burgemeester, denk ik.'

Het idee is simpel en slim. Het feest geeft ons iets om naar uit te zien, zoiets als het begin van de zomervakantie. Daar kijk je ook naar uit, al is het voor ons helemaal geen vakantie natuurlijk, want wij gaan nergens heen.

'Maar,' de dunne vinger van Nelson wijst waarschuwend omhoog, 'niet alle jongens en meisjes zullen daarbij aanwe-zig kunnen zijn.' Tweehonderd jonge criminelen in één zaal is natuurlijk te riskant, een mijnenveld. 'Wie erbij wil zijn, moet het *verdienen*.'

Ik doe nooit iets fout, dus ik zal er zeker bij zitten. Op gedachten staat geen straf.

Nelson kijkt op zijn papiertje, krabt zich in de nek en begint voor te lezen: 'De geïnterneerden kunnen zelf ook meedoen aan het programma door bijvoorbeeld gedichten of verhalen voor te dragen, toneelstukjes op te voeren of muziek te maken.'

'Muziek in de tent!' schreeuwt Joop meteen.

De voetbalvechter begint te zingen: 'Het is zwart, het is geel —'

Nelson onderbreekt hem streng: 'Niet alles natuurlijk. Het staat hier duidelijk: de inhoud behoort opbouwend te zijn.' En hij gaat door met voorlezen: 'Een speciaal daartoe geformeerde commissie zal vooraf de voorstellen keuren en afwegen welke voor presentatie in de zaal in aanmerking komen en welke niet. Daarbij moet bij voorbaat in de overweging worden meegenomen dat maar een beperkt aantal optredens gehonoreerd kan worden.'

'Begrijp er niks van,' zucht Brian, het hoofd al heel moe.

'En,' Nelson slaat de bladzijde van Instructies om, 'de inhoud moet opbouwend zijn. Maar dat had ik al gezegd, dacht ik.'

'Wat is dat, opbouwend?' roept Saïd.

'Opbouwend, dat is,' Nelsons hele voorhoofd vernauwt zich tot een frons, 'dat de mensen er wat aan hebben.'

'Vaag.'

'Dat de mensen er iets van... mee naar huis kunnen nemen.'

'Om te eten?'

'Het betekent,' zegt Nelson met stemverheffing, 'dat er niet gevloekt mag worden.'

'Dat er niet gevloekt mag worden?' En meteen volgt er een reeks knetterende ggg-woorden waar de mokro's zich dubbel om lachen.

'In geen enkele taal van Babylon.' Nelsons slanke vingers vouwen het papier op. 'Nog vragen?'

'Rap?' vraagt Stanley.

'Alles kan,' antwoordt Nelson, 'maar moet eerst worden goedgekeurd.'

'Steek het mes waar het hoort —'

De mokro's maken intussen heftig ruzie.

'En nu dan het slechte nieuws,' begint Nelson.

'Een burgemeester,' onderbreekt een Mo of Abdoel, 'izz heel slecht nieuws.' Niemand weet waar hij het over heeft.

'Het slechte nieuws is: nog steeds worden er op de afdelingen drugs gevonden. De komende weken gaat een speciaal team van de rijksrecherche zich met dit probleem bezighouden.'

Geroezemoes. 'Alcohol is legaal, drugs gezonder.'

Nelson kapt af: 'Drugs zijn een zonde tegen God en de maatschappij. Ik heb gezegd.'

Het gerucht gonst meteen door de gangen, verspreidt zich in de leslokalen, dolt op het sportterrein. Een feest! Plannen, voorstellen, mogelijkheden — eindelijk weer beweging in de stroom van stroop.

Alleen de mokro's verklaren zich ab-so-luut tegen omdat ze de burgemeester geen hand willen geven, 'al was het de koningin zelf!'

Toch is dat besluit kennelijk niet met algemene stemmen aangenomen, want Saïd loopt met een lang gezicht rond. Hij schrijft gedichten. Ik heb er een gelezen, het lag op de keukentafel: 'Ik verlang terug naar het land/ Met de wegen van zand.' De rest van de regels ben ik vergeten.

Ik gaf het hem terug, hij knikte, een beetje schichtig. 'Izz niet van mij.' Maar ik had zijn hand zien schrijven, allemaal korte regeltjes. Dacht natuurlijk dat ik hem wilde nakken, je kan niet voorzichtig genoeg zijn hier.

En nu mag hij het dus niet voordragen omdat hij dan de burgemeester een hand moet geven.

Zo nu en dan laait het conflict kakelend en kwetterend op, om meteen te verstommen als er een ongelovige voorbijkomt.

Toch is de stemming niet slecht, het feest blijft de uren voortstuwen. Er wordt minder geschreeuwd, uitgedaagd, ruziegemaakt om niks. Tijdens de rookpauze mag de pedo zelfs zomaar iets hardop zeggen: 'Dit is geen slecht hotel. Heb ergere meegemaakt. Nee, hier is het bestwel uit te houden.'

Dennis, die de eerste weken hier alleen maar gekankerd heeft dat hij niet kon neuken, gaat op de feestavond een mop vertellen, een lange mop, dus goed opletten. 'Ook jij,' zegt hij tegen Brian, die hem glazig staat aan te staren.

'Als je geboren wordt, heb je twéé kansen: jongen of meisje. Word je als meisje geboren, niks aan de hand.' Hij kijkt om zich heen, vals glimlachje.

'Als je als jongen geboren wordt, krijg je twéé kansen: je blijft thuis wonen of je gaat werken. Blijf je thuis wonen, niks aan de hand.

Ga je werken, heb je twéé kansen: je gaat in het leger of niet in het leger. Ga je niet in het leger, niks aan de hand.'

Pauze. Hij geniet, de gespannen aandacht van elf jongens. Nee, tien (de kv houdt zich zoals altijd afzijdig). Tien jongens die naar hem luisteren, bijna zo goed als seks. 'Doorgaan!'

'Goed. In het leger twéé kansen: landmacht of luchtmacht. Ga je bij de landmacht, niks aan de hand.

Bij de luchtmacht heb je twéé kansen: je valt dood of je blijft leven. Blijf je leven, niks aan de hand.

Val je dood, heb je twéé kansen: je wordt gecremeerd of je wordt begraven.' Hij giechelt. De pedo maakt van deze pauze gebruik: 'Ik heb in een hotel gewoond waar je elke ochtend om zes uur op moest. Ook in de winter. Afzien! Slecht personeel ook.'

Door zijn gemompel mis ik de overgang van crematie via een boom naar papier.

'Als je papier wordt, heb je twéé kansen: je wordt gewoon papier of pleepapier.

Word je gewoon papier, niks aan de hand.

Maar word je pleepapier, krijg je twéé kansen.' Hij wacht, kijkt naar zijn publiek. 'Zal ik de rest dan maar morgen vertellen, jullie worden anders moe zeker?'

'Pleepapier,' schreeuwt Stanley opeens en zwaait dreigend met zijn gele Schiphol-tas.

'Pleepapier dus. Als pleepapier krijg je ook twéé kansen. Want je wordt gebruikt door een jongen of een meisje.

Word je gebruikt door een jongen, niks aan de hand. Maar

word je gebruikt door een meisje...' Grijns zo breed dat-ie achter z'n oren verdwijnt: 'Word je dus gebruikt door een meisje: grijp die kans!!'

Als iedereen eindelijk uitgelachen is, verklaart de verteller trots dat hij deze mop op de feestelijke feestavond gaat vertellen.

'Is-ie niet te lang?' vraagt Saïd (zeker jaloers).

'Te lang? Ik zou hem nog ik weet niet hoeveel langer kunnen maken. De vriend van m'n vader die 'm vertelde, die doet er wel een half uur over!'

'Maar is het wel opbouwend genoeg?'

'Opbouwend, opbouwend,' zegt Dennis, opgetild door het succes. 'Als dit niet opbouwend is, weet ik het ook niet meer!'

'Maar er komt seks in voor.'

'Seks in voor, seks in voor, waar dan?'

'Op het eind.'

'Bullshit, alle echte grappen gaan over seks,' houdt Dennis vol. 'Bovendien, dat is geen echte seks. Weet je wat seks is?' Zijn stem daalt, de ogen schitteren: 'Zal ik jou eens vertellen wat seks is?' Nog zachter, de mokro's doen een stap dichterbij. De KV, die vlak bij de open schuifdeur stond te luisteren, waagt zich zelfs op het balkon. 'Zit op een dag thuis. Dacht dat ik alleen was. Maar de deur gaat open. Vriendin van mijn broer. Zo mannetje, zegt ze, stoute dingen aan het doen? Ze heeft alleen een ochtendjas aan die een beetje open hangt, je ziet net de rand van haar... Jawel, zegt ze, ik ken jullie stoute jongetjes wel hoor. Jullie denken de hele dag maar aan één ding. Dat was waar.'

Nelson verscheen op het balkon. Niets maakt de groepsleiding zo argwanend als twaalf jongens op één plek die zich rustig houden.

'Zegt ze, oei wat ben ik opeens moe, en gaat zomaar, laat

zich zomaar op mijn bed vallen! En... die ochtendjas valt open, ze maakt de ceintuur los... Ligt ze daar open en bloot, zegt: nou moet je mij eens laten zien waar je zo druk mee bezig was, je hoofd is nog helemaal rood. Jij was aan het pacha slaan zeker, dat doen alle stoute jongetjes van jouw leeftijd, je hoeft je voor mij niet te schamen, hoor.'

We kennen de rest van het verhaal in allerlei variaties (in de badkamer, op de trap, met of zonder laarzen aan; in de tuin, in de slaapkamer van zijn ouders) en toch laten we het iedere keer weer opnieuw gebeuren. En altijd die zin: 'Nu moet jij *mij* even verwennen, want daar houden vrouwen van.'

'Hoe groter hotel, hoe onpersoonlijker de service. Je moet het klein houden, dan is het te overzien. Ons kent ons, je weet wat je aan elkaar hebt.'

Dennis drukt de pedo weer opzij: 'Als de burgemeester mij vraagt: Dennis, wat kan jij mooi moppen vertellen, jij lijkt mij een brave jongen. Vertel mij eens, wat doe je hier eigenlijk? Wat leer jij hier? Dan zeg ik meteen: pacha slaan, mevrouw! Er is hier verder geen ruk te doen!' Hij kronkelt van het lachen. 'En zij dan, wat is dat, Dennis, dat pacha slaan? Ik hoor daar zoveel over praten, het lijkt wel of de jongens hier niks anders doen dan pacha slaan. De meisjes hebben het over vlechten enzo, maar de jongens... En dan zeg ik: pacha slaan, dat is hout bewerken, mevrouw, hout hard maken. Dat doen we hier dag en nacht, mevrouw, echt waar. Lieg ik dan, of niet soms?'

'Nee, nee.'

'Hout bewerken, mevrouw de burgemeester. Wie hier vandaan komt heeft altijd een diploma houtbewerker op zak. En zij dan: Dus jij wordt timmerman als je buiten komt, Dennis, braaf zo. Een mooi beroep, daar is veel maatschappelijke behoefte aan.'

'Nee, mevrouw, als ik buiten kom word ik metaalbewerker. Auto's oppimpen en vooral' — hij wacht, kijkt ons een voor een aan en gooit het er dan uit: 'veel krikken, dag en nacht *krikken* mevrouw, reken maar van yes. In-ha-luh!'

'En zij,' gaat hij door als de anderen op adem zijn gekomen, 'geeft mij dan een aai over de bol, misschien zelfs een koninklijk kusje: ga jij maar braaf krikken, Dennis, ik heb alle vertrouwen in jou, komt wel goed met je. Op zulk soort jongens zit de maatschappij te wachten!'

De KV kan niet ophouden. Lacht-ie omdat hij het heeft begrepen, of alleen omdat *wij* lachen? Doet hij ons na? Het is een onaangenaam geluid.

We kijken hem aan, witte tanden boven een witte trui.

De grijns glijdt van zijn gezicht en toch kan hij maar niet ophouden met schudden. Het is bijna schunnig. Zouden alle KV's zo lachen — als je dit lachen kan noemen?

Joop staat met één stap pal voor de giechelkont: 'What you tink? What you laaf? What you will? Who are you? You, you!' Zijn benige vinger prikt in de borst van de vreemdeling.

De KV ziet de schimmen die achter Joop staan te wachten. Hoe de mokro's zich breder maken in de opening van de glazen schuifdeur. Hij berekent zijn kansen. Nada.

'What do you tink?' spuugt Joop hem in het gezicht. De donkere jongen doet nog een stap terug, zodat zijn witte trui bijna de muur raakt.

'What do you tink?'

We kunnen hem nu makkelijk met z'n allen over de rand tillen. Uit de hand gelopen stoeipartij. Een incident, komt overal elke dag voor. Haalt zelfs de krant niet.

Hij murmelt iets.

Pas als hij het herhaalt en naar de weilanden in de verte wijst, beginnen we het te begrijpen. Es-keep.

Escape.

Wegvliegen over die weilanden.

Nelson stapt met grote passen het balkon op. Zijn vrome ogen vinden meteen het slachtoffer. Loopt op hem af en slaat een arm om de nukkige schouders. Dan, als een grote sterke broer, voert hij de jongen heelhuids af, naar de beslotenheid van de afdeling.

Ook wij drommen terug. In het gedrang vraag ik Joop of hij nog wat in zijn apotheek heeft.

'Vette pech, maatje. Veel handel, volgende week nieuwe voorraad. Het is... het zijn de zenuwen, hè. Je voelt het in de lucht trillen, ik merk het meteen als ik wakker word. Extra elektra. Positieve of negatieve lading? Daar ben ik nog niet achter. Het weet wat, zo'n feest. Waar had je het eigenlijk voor nodig gehad?'

'Ik moet naar de spieg vanmiddag. Die nieuwe.'

'Maar dát is een goeie gabber, ech waar. Die is flex, dat is er een van ons. Toen hij me een hand gaf, zag ik het meteen: precies onder z'n duim drie blauwe stippen. Dat is het teken. Hij is gestuurd om ons te helpen, weet je. Die kan je voor honderd procent vertrouwen, neem dat van deze jongen aan. Weet je wat hij zei toen ik, je weet nooit hoe je zo'n man moet begroeten, "dag dokter" of "goedemorgen, meneer", dus zeg ik gewoon: "Hi!" En hij, die psieg dus, die zegt: "Was het maar waar!"' Hij stoot me aan met z'n hoekige elleboog: 'Snap je 'em? High, high in ze sky. Ech helemaal oké. Een van ons, ech waar.'

Het is een van die momenten, speelt-ie de clown of meent-ie het? Hijzelf weet het waarschijnlijk ook niet. Droeg het masker al toen hij uit de buik van z'n moeder kroop, zo'n doodsbleek masker met de brede, rode mond van de clown in McDonald's-reclames.

'Komt allemaal goed, dude,' zegt hij nog voor hij wegschiet.

's Middags probeer ik te lezen in een boek van Stephen King maar kan me niet concentreren. Naast mij links legt de voetbalvechter aan Dennis uit hoe je natte cocaïne zo snel mogelijk droog krijgt. Rechts naast me demonstreert Brian aan Saïd hoe je een man met een mes onschadelijk kan maken. Je gestrekte vingers in zijn oksels duwen bijvoorbeeld. Of als je zijn hand te pakken krijgt, duim achteroverbuigen tot-ie knakt, kan ook.

Wat altijd werkt is een ram tegen z'n slaap, gaat-ie in één keer gestrekt.

Ze raken steeds enthousiaster. De volgende stap is het naspelen, wat onvermijdelijk in een echte vechtpartij ontaardt. Daarom heeft de leiding elke vorm van stoeien, hoe goedmoedig ook, verboden.

Maar nu blijft het voorlopig nog bij woorden. De voetbalvechter — de coke is kennelijk droog — mengt zich erin. Je moet meteen naar iemands enkels duiken, is zijn recept. En dan over je nek gooien. Verrassingseffect.

Stanley komt erbij staan luisteren. Hij verzamelt alle informatie in zijn plastic Schiphol-tas.

Ze praten nu langs en over me heen.

Dwars dóór me heen.

Ik ben doorzichtig, ik ben er niet.

Het zijn gesprekken die ik al zo vaak gehoord heb.

De voetbalvechter, T-shirt met twee gekruiste botten: 'Weet je wat mijn vader altijd deed?' Hij staat op, maakt een rechte hoek met zijn elleboog. 'Hij stootte de punt van zijn elleboog recht in het midden van mijn rug, waar de harde bobbels zitten. Je hoort ze kraken. Dan ging ik gestrekt. Over en out.'

De manier waarop hij het vertelt, je zou zweren dat hij bewondering voor zijn vader heeft. Dat hij trots is op de man die iemand met een scherpe elleboogstoot bewusteloos kan slaan. Zó'n vader.

'Als je een puppy elke dag slaat, wordt hij vanzelf vals.' Wie had dat ooit gezegd, de Torkoe?

Nelson komt me halen.

Als we al voor de deur staan, pakt Joop mijn arm: 'Vraagtie: met wie zou je op een onbewoond eiland willen zitten, wie of wat neem je mee, nooit antwoorden: een hond. Nóóit. Ook kat niet goed. Begrijp je? *Niet* goed.'

Een onbewoond eiland, ook dat nog.

Nelson opent zwijgend de glazen deuren.

Eén ding moet je hem nageven, hij weet wanneer hij zijn mond moet houden. Geen kletspraatjes om de dreigende stilte te vullen. Misschien loopt hij stilletjes voor ons allemaal te bidden, wie weet.

'Hier is het.'

Het eiland van de psieg.

Ik loop naar binnen en ruik een vage schroeilucht.

Een smalle man staat op, omringd door het licht van het grote raam achter hem, ik kan zijn gezicht niet lezen. Ik merk meteen dat de ruimte te groot is. Het is een lokaal, leslokaal geweest zeker.

'Hi!' zeg ik.

Maar het antwoord is gewoon: 'Goedemiddag.'

Breeduit op tafel ligt het dossier. Op sommige bladzijden is een geel papiertje geplakt dat een lelijke tong uitsteekt. Hij gaat zitten en begint te bladeren in de stukken. Vreemd, die brandlucht. Heeft hij tussen twee patiënten gerookt? Maar dat is ook voor hem verboden. Bovendien, het is zeker niet de geur van een sigaret of sigaar.

Hij blijft bladeren of hij de sleutel van mijn ziel zoekt. Het haar op z'n hoofd wordt al aardig dun.

Shit, vergeten naar zijn duim te kijken, de drie stippen die Joop zag. Het teken.

Ik kijk om mij heen. Ja, het is geen kamer zoals de andere psychologen hebben, met plantjes en takken en foto's van poezen en kindertekeningen. Ze hebben deze man met een kaal lokaal afgescheept.

Eindelijk komt zijn hoofd boven water. Hij strekt de rug, legt de handen in zijn nek, zijn ellebogen breed als vleugels naast zijn oren. Het licht dat door het hoge raam naar binnen stroomt, valt pal op zijn smalle gezicht.

Nu pas zie ik zijn ogen en schrik.

Nooit eerder heb ik iemand ontmoet met zulke lichte ogen. Lichtblauw. IJswater. Zulke ogen zie je alleen in dromen en griezelfilms.

Het verwart me, oppassen. Wat neem je mee naar een onbewoond eiland, zulke vragen staan me te wachten. Allemaal genoteerd op de gele briefjes die hem de weg moeten wijzen door het vuistdikke dossier.

Maar hij schuift het pak papieren van zich af en zegt kalm: 'Zo, dat is dus al een hele carrière.'

Waar heeft hij het over? Zijn lippen praten, maar de ogen laten zich geen moment afleiden.

Een bleke, slanke vinger, een vinger zonder leeftijd, wijst: 'Wat ik hier voor me heb liggen. Het verslag van een hele carrière, niet?'

'Carrière?'

'Loopbaan bedoel ik.' Hij glimlacht, waardoor de kille blik even achter rimpels wegduikt.

Ik durf hem niet recht aan te kijken, bang iets te verraden wat ik zelf niet ken.

Ik hoor zijn stem, die monotoon zinnen achter elkaar zet. Hij heeft het over een eiland, dat hij goed kent. Een eiland waar veel over geschreven wordt, maar hij heeft daar niets anders dan hartelijkheid ontmoet. En vrolijk dat de mensen daar waren! Het is of hij een toeristenfolder voorleest: hoe er volgens hem geen betere plek op de wereld bestaat om te snorkelen dan juist die ene eiland. Blauwgroene golven! En de vissen die je daar ziet, zulke kleuren kom je zelfs in je mooiste dromen niet tegen.

Hij is er dus een van de langzame inleiding. Vooral vrouwelijke psychologen zijn daar goed in, de jongens op hun gemak stellen, de angel uit het gesprek halen. Ik heb eigenlijk nooit iemand meegemaakt die meteen durfde zeggen: je bent een grote konjo en je hebt beestachtige dingen gedaan. Dan zou ik me helemaal op m'n gemak voelen, iemand die keihard met de waarheid komt.

Stilte.

Ik vermoed dat hij me een vraag heeft gesteld, want het is zo'n omkrullende stilte die op antwoord wacht.

'Ik...' Ik durf hem niet recht in het gezicht te zien.

'Kom, help me even, die baai in het zuidwesten, hoe heet die ook alweer? Jij bent daar geboren.'

'Ik ben niet op de Antillen geboren, meneer.'

'Maar wel vaak geweest natuurlijk?'

'Eén keer.'

'Eén keer maar?'

Ik hoor hem bladeren, hij raadpleegt zijn aantekeningen, de gele tongen hebben hem in de steek gelaten. Hoe heette die afdeling in het ziekenhuis ook alweer waar mijn moeder naartoe moest toen de hartelijke Antilliaan die mijn vader is, haar pols had geknakt?

Röntgenfoto.

De man tegenover mij heeft röntgenogen. Hij kan dwars door je kleren heen kijken en wat hij dan ziet is: niets. Geen toekomstplannen, geen loopbaantraject, geen geweten, nada. Een niets waar de patiënt nog trots op is ook!

Om mij heen voel ik de oningevulde ruimte. Wij, wij tweeën zitten in een leeg niemandsland.

Naar buiten blijven kijken.

Op het grind van het platte dak ligt een leren bal. Het is een sport zo'n bal zo ver weg te trappen dat hij van het dak moet worden gehaald. En dan nog een keer wegtrappen, dezelfde bal of een andere, net zo lang tot de leiding het vertikt wéér het dak op te gaan. Maar dan kunnen wij niet sporten en wij moeten juist bewegen, Sandra, dat is toch goed voor ons? Ik begrijp jullie niet, zegt de Torkoe dan, jullie willen voetballen en dan trappen jullie de bal op het dak. Zo schoppen jullie je eigen glazen in! Wijze woorden, want dat is precies wat wij het liefste willen: onze eigen glazen intrappen. Rustig aan, Ronnie. Geen paniek.

'Dat is heel eigenaardig,' hoor ik hem mompelen. 'Het lijkt warempel wel alsof ik gisteren... Nee, hier ook niet. Vind je het goed dat ik even een kleine time-out neem? Ik ben namelijk een junk. Koffie hoor, meer niet. Jij ook?'

Ik sla het af. Je weet nooit wat ze erin stoppen, een waarheidsserum ofzo.

Meteen als hij de deur achter zich dicht heeft getrokken, sta ik op. Geen ingelijste foto op het tafeltje, geen lachende kindersmoeltjes met wisselgebit. Wel een grote doos met papieren zakdoekjes. Zover zal het niet komen, de eerste aanval is al afgeweerd.

Het dossier interesseert me niet.

Verder een boekje, heeft-ie zomaar open en bloot laten liggen. Het staat vol afkortingen. Mijn oog landt op een bladzij die er overzichtelijk uitziet.

22. Hoe is de persoonlijkheid en het verstandelijk vermogen van de vader?

23. Hoe is de relatie van de vader tot X?

24. Wat zijn de pedagogische en affectieve mogelijkheden van de vader (o.a. opvoedingsstijl) in relatie tot X?

25. Hoe kunnen de uitkomsten van de interactie tussen de

vader en X worden geïnterpreteerd?

26. Hoe worden de mogelijkheden van de vader als gezagsdrager ingeschat om de omgang van X met de moeder vorm te geven en te hanteren?

29. Is specifieke hulpverlening voor de vader aangewezen en zo ja, van welk hulpverleningsaanbod kan hij het best profiteren?

34. Hoe is de persoonlijkheid en het verstandelijk vermogen van de moeder?

47. Hoe is de gehechtheidsontwikkeling van X verlopen en hoe is de kwaliteit van de gehechtheid van X?

Hij blijft lang weg. Plee. Handen wassen. Is misschien wel op weg naar het platte dak om de bal op te halen. Dat voorwerp stoort hem in het onderzoek naar de gehechtheidsontwikkeling van X, het ligt daar maar te liggen op het natte grind.

Er komt geen geluid van de gang en dus ga ik even zitten op de stoel die nog warm aanvoelt. En ontdek dat het verder lege lokaal de hele tijd iets voor mij verborgen heeft gehouden.

Een hoofd.

De kop van een meisje of jonge vrouw die verbaasd naar de kale ruimte om zich heen kijkt. De ogen, eigenlijk niet meer dan twee donkere stippen, worden opgevrolijkt door de opkrullende zwarte oogharen.

Puntig rood mondje of ze o,o,o zegt.

Roze wangen of ze zich schaamt. Waarvoor? Voor de vleeskleurige krulspelden die in het stugge haar zijn gezet?

En toch, er blijft iets spottends in die blik. Ze spot met de kale omgeving, met het platte dak. Met mij. Alsof ze wil zeggen: ik leef lekker meer dan jullie, kijk maar!

Ik hoor zijn stappen op de gang, wissel haastig van plaats.

Hij komt terug met een geribbeld wit bekertje in de hand.

Gaat zitten en glimlacht.

Neemt een hete slok.

De blik is nog lichter geworden, intenser ook. Hij heeft zich opgeladen.

Ik hoop dat hij over het onbewoonde eiland begint, wie je meeneemt, ik ben voorbereid. Zolang ik maar niet in die koude ogen hoef te kijken, ben ik veilig.

'Het probleem met jou is, Ronaldo, ik heb geen idee wie jij bent.'

Zijn slanke hand wijst op het dossier: 'En ik ben de enige niet die er niet uitkomt. Alle mensen met wie jij te maken hebt gehad, zeggen hetzelfde. In de omgang ben je rustig. Bijna nooit bijdehand, zoals de meeste jongens die hier zitten.'

Ik staar naar mijn handen, ik probeer ze stil te houden.

'Eén keer heb je iemand in elkaar geslagen, toen je net op de afdeling was. Maar,' hij aarzelt, 'dat zal geweest zijn om je eigen territorium af te bakenen. Laat me met rust, dat was de boodschap, niet?'

Hij weet alles.

'Maar die rust, Ronaldo, wij weten niet hoe we die moeten inter-, moeten uitleggen. Ben je echt zo'n kalme jongen of doe je maar alsof?'

swg, altijd die fokking swg.

'Dat begrijp je? Je kan het volgen, hoop ik? Of spreek ik een andere taal voor je?'

Ik staar naar mijn vingers.

Stilte. Wat denkt het poppenkopje nu, dat zo parmantig naar ons staat te kijken? Wat denkt de leren bal?

'Je moet begrijpen dat we onder zware druk staan. De maatschappij eist van ons dat we jullie pas laten gaan wanneer er absoluut geen kans meer bestaat op recidive, dat is: op herhaling van levensbedreigend gedrag. Zie je het probleem?'

Ik haal mijn schouders op en voel me opeens Brian: Dokter, u maakt mijn hoofd zo moe.

'Laat ik het anders proberen uit te leggen. Wij, we hebben het idee dat er ergens diep in jou een verschrikkelijke woede huist. En dat op een dag dat beest opeens naar buiten komt, tegenover een wildvreemde misschien, iemand die opeens weer al die... al die shit in je losmaakt, zodat...'

Hij slikt. Ik hoor hoe hij slikt. Meegesleept door zijn eigen woorden, nee: door de bagger in zijn keelgat. Concentreren nou Ronnie, het kan niet lang meer duren, je bent er bijna doorheen. Niet aankijken.

'Daar heb je niets op te zeggen? Helemaal niets?'

Als ik nu mijn mond open, komt alles eruit, dokter. Begrijp je dat dan niet? Heb je daarvoor zo lang doorgeleerd, en het dan nog niet snappen? Als ik écht swG vertoonde zou ik nu een kletsverhaal ophangen, de voorgekookte toekomstdromen waar de mokro's zo goed in zijn.

'Goed. Je verkiest dus te zwijgen.'

Hij drinkt. Zijn hand (vuist) verfrommelt het plastic van het nutteloze bekertje.

Hij zegt: 'Hoe zie jij jezelf over vijf jaar, Ronaldo?'

Ik zie mijzelf *niet*, dokter.

'Of denk je, ik ik ga doen wat iedereen bij ons in de buurt doet, hosselen hier, overvalletje daar, makkelijk geld?'

Hoor ik daar een zucht? Dan is het gesprek bijna voorbij. Nu gaat hij zeggen dat misdadigers zich nooit ofte nimmer veilig kunnen voelen. Altijd over hun schouder moeten blijven loeren. Nooit oud worden. Eerste reden van sterfte onder jonge Antillianen in Rotterdam: moord. Ripdeals enzo. Hij gaat zeggen dat zelfs een handige boef als Holleeder uiteindelijk gepakt is en ik weet niet hoe lang vast moet zitten. Dat er dus alle reden is om een fatsoenlijk beroep te kiezen, zoals fitnesstrainer, pizzakoerier of psycholoog. Ik heb het zo vaak gehoord. Het klinkt allemaal redelijk, het is waar en toch heeft het nergens iets mee te maken. Niet met mij.

'Je léést zelfs, zie ik hier?'

'Ik heb *De kleine geschiedenis van bijna alles* bijna drie keer uitgelezen.'

'Kijk eens aan. Je zat op de havo, hè? Je hebt toch op de havo gezeten?'

'Twee jaar. Bijna drie.'

'Wat is er toen misgegaan? Het is gek, nergens hier in al die papieren vond ik daar een duidelijk antwoord op. Echt nergens. Kan jij mij...?'

Ik kijk op. Zijn blik is zorgelijk. Ik kan niet terug, moet iets zeggen. 'Geen zin meer om in de bank te zitten.'

Hij herhaalt die woorden of ze een diepere betekenis verbergen. 'Maar je was een goede leerling. In ieder geval slim genoeg om te weten dat je zonder die school helemaal nergens zou zijn. Het was al knap van je dat je zover was gekomen. Ik bedoel, met al die... herrie thuis enzo.'

Hij komt te dichtbij. Ik draai mijn linkerpols zo dat ik de tijd kan lezen. We zijn bijna drie kwartier bezig. Nog even volhouden.

'Het enige wat ik lees... wat ik lees...' Weer hebben de gele papiertjes hem kennelijk in de steek gelaten. 'Ah! Iets over een incident op school. Maar geen officiële aanklacht. Vreemd. Het blijft vaag. Toch heb ik het idee dat precies op dat moment, dat er toen iets is misgegaan in jouw leven, dat... Wat je daarna gedaan hebt, ik heb het allemaal gelezen, de politierapporten, de rechtbankverslagen, enzovoort enzovoort, dat hoef ik allemaal niet te horen. Ik ben alleen geïnteresseerd in wat er *niet* staat in al deze papieren, wat er is weggelaten, gecamoufleerd, verzwegen. Dáár gaat het mij om, nu.'

Niet opkijken, te gevaarlijk.

'Er moet iets gebeurd zijn.'

Ik zwijg en staar naar mijn vingers, die traag bewegen of ze op zoek zijn naar een prooi. Iets om kapot te knijpen.

'Er is iets gebeurd, niet?'

Ik knik alleen.

Hij neemt de tijd: 'Weet je, Ronaldo, ik kan dit verslag nu snel afronden door te schrijven: Ronaldo wil niet meewerken aan het onderzoek. Dat valt' — kort, snuivend lachje — 'moeilijk op te vatten als een teken dat hij... dat hij geen gevaar meer vormt voor zichzelf en de maatschappij. Hij zit het uit, hij zit de dagen op de afdeling uit, hij zit de zittingen bij zijn psychiater uit en hij laat niets los. Blijkbaar zijn de remmingen en weerstanden zo groot dat hij er nog niet over kan praten. En zolang hij daar zelf niet over wil praten kan ik de rechtbank alleen maar adviseren om... Je bent bijna achttien. Dit is je kans om aan deze lijdensweg een eind te maken.'

Ik houd niet van dwang, maar het is redelijk wat hij zegt. Al zou ik liever hebben dat hij me tegen de muur zou flikkeren om mijn strot dicht te knijpen.

Het is nog te vroeg, ik ben er niet aan toe.

De vernedering.

De schaamte, dat vooral.

'Ik wéét dat je mij wantrouwt. Dat je iedereen hier wantrouwt. Dat jullie elkaar wantrouwen. Dat iedereen iedereen wantrouwt dus. Maar ik moet een rapport opstellen, Ronaldo. En ik wil dat je mij vertelt wat er in die winter gebeurd is. Waarom je van school bent gegaan of getrapt. Waarom je de enige kans die je had om uit die omgeving weg te komen hebt verpest. Een intelligente jongen als jij, Ronaldo, verschillende leraren hebben nog, hier: de brieven waarin ze —'

En opeens: 'Kijk me aan!'

Niet doen.

'Durf me nou eindelijk eens recht in de ogen te kijken.'

'Het... het is nog te vroeg.'

'Het is nog te vroeg?'

Hij gaat achteroverzitten, ellebogen weer aan beide kanten van zijn smalle hoofd als vleugels. Vermoeid. Hij glimlacht (maar zonder spoor van triomf), pakt zijn agenda. 'Goed, dan maken we een afspraak.'

Zijn vinger schuift langs andere 'gevallen'. 'Wat had je in gedachten?'

Morgen. En overmorgen. En eigenlijk de hele volgende week, dat wil ik, ja. Of misschien alles opschrijven terwijl hij daar alleen maar zit, zodat ik niet in die verzengende ogen hoef te kijken. Hij die daar dan alleen maar zit en speelt met zijn gele plakbriefjes maakt intussen aantekeningen over een ander geval (lichter dan het mijne natuurlijk).

Eerst hoor ik het niet.

Hij moet het herhalen: 'We kunnen elkaar volgende week woensdag zien?'

Acht volle dagen. Acht lege dagen! Hij heeft er niks van begrepen.

Hij staat op. Zijn gezicht wordt weer donker tegen de achtergrond van het witte lichtvlak van het grote raam.

'Tot volgende week dan,' hoor ik. Het klinkt geforceerd opgewekt.

Bijna een hele week. Ja, zo'n man heeft het natuurlijk druk, ik begrijp het wel. Jij, jij bent maar een van de vele 'gevallen' die in z'n agenda staan. Als hier over vijf minuten een nieuw geval binnenstapt is hij mij allang vergeten. Ik ben een dossier, nee, ik ben niet meer dan een van de gele plakbriefjes in een dossier zo dik als deze hele inrichting. ('Denk maar niet dat je zo bijzonder bent.')

Ik hoor zijn stem. Draai me om, de hond? Of misschien toch...

'Doe jij ook mee met de bonte avond, Ronaldo?'

Vreemde vraag. Waarom zou ik meedoen aan die fokking bont en blauwe avond waar wij allemaal als aapjes mogen opdraven voor die dure lui?

'Is niet *mijn* feestje.'

De deur zwaait open. Het is niet Nelson die op mij staat te wachten, maar Kees. Hij ziet er vermoeid uit, mompelt iets. Zwijgend beginnen we aan de tocht door de doorzichtige doolhof.

Ik heb het helemaal verkeerd gedaan.

Als ik iets niet wil is het *begrip*. Geef me een goede baan, een huis om in te wonen. Geef me nieuwe vrienden, andere ouders — maar géén begrip, nee dank je. Doe niet of je kan grijpen wat ik zelf niet snap, dokter Röntgen.

Pas bij de derde deur van glas valt het me op hoe langzaam Kees zijn voeten voor elkaar zet. Zelfs het plastic pasje tegen een deurpost drukken schijnt hem moeilijk af te gaan. En nu, nu we de afdeling naderen, schuifelt hij alleen nog maar. Of hij tegen de richting in een roltrap op loopt.

Voor de deur die ons van de anderen scheidt, blijft hij staan. De hand met het pasje hangt slap langs zijn zij.

Hij kijkt.

Joop die met zijn wilde gebaren iets uitbeeldt.

Hij stelt zich op voor de muur, duwt een echt of denkbeeldig voorwerp tussen de bakstenen. Schraapt. Trekt zijn hand terug, bekijkt de oogst. En begint weer opnieuw terwijl zijn lippen geen ogenblik tot rust komen. Ik weet wat er gebeurt, Joop vertelt een film na. Hij geeft een voorstelling. En hoe onsamenhangend het verhaal ook, zijn fladderende armen maken duidelijk wat hij ooit in een donkere zaal gezien heeft. Het is mijn lievelingsboek.

Uit de keel van Kees komt een gek geluid. Hij grinnikt: 'Wat een type, hè?'

Het is net of wij tweeën de gedetineerden zijn, opgeborgen achter glas.

Eindelijk hijst de groepsleider de arm omhoog en laat de deur openspringen.

En meteen vlucht hij in zijn glazen kooi.

Ik loop door naar de groep. Joop ziet mij, knipoogt, maar gaat onstuitbaar verder met z'n story. Over iemand die onschuldig vastzit, vat hij voor mij samen. 'Net als wij allemaal hier,' roept een mokro. Iemand die elke nacht aan een gat in de muur werkt, achter een poster van Bob Dylan, je weet wel. Iedere nacht een paar lepels gruis losmaken die hij de volgende ochtend verstrooit, 'as de as van een dooie'. En pas na zes of acht jaar of wie weet nog langer, fluistert Joop, is de gang klaar. De gevangene moet alleen nog wachten op noodweer, 'storm of tornado'.

Dan de nacht dat er een vreselijk onweer boven de inrichting losbarst. Blikseminslag, het weerlicht en dondert. Dat is het volmaakte moment voor de gevangene. Hij kruipt door de gleuf in de metersdikke muur die hij lepel voor lepel heeft losgewrikt, een zware steen in z'n hand. En komt terecht in een blinde ruimte met buizen en leidingen, blauwe en rode draden, 'het zenuwstelsel, de darmen van de gevangenis als het ware'. Door het bovenlicht donderen de lichtflitsen naar beneden. Je ziet, het beeld in blauw, die magere gevangene wijdbeens op een metersdikke buis zitten, zware steen in de hand. En dan, als de donder genadeloos toeslaat, haalt hij uit met zijn hand die de puntige zware steen omknelt. Eén, twee, drie, vier slagen... Dan pas begint de buis te breken, brokkelt af. Steeds moet hij weer even wachten tot de zware donder het geluid van zijn slagen wegmoffelt.

Joop, bewust van alle aandacht, wacht.

'Die buis, dat is dus de riolering, weet je wel. Honderden gevangenen, ga maar na hoeveel stront! Meer dan een kilo-

meter, meer dan één ki-lo-me-ter, moet de gevangene door de shit van anderen waden en zwemmen. Tot hij het einde van de pijp bereikt, de pijp, die hem uitspuugt en hij komp in stromend water terecht. Het dondert en bliksemt, het regent dat het zeikt, maar hij, hij is vrij, begrijp je. Eindelijk vrij.'
Iets als een hik of snik, het valt bij Joop nooit uit te maken wat echt of nep is.

Het wordt heel stil.

De pedo kokhalst.

Ook de KV deinst terug. Denkt natuurlijk aan zijn witte trui.

Stanley zegt: 'Maar dáár begin ik niet aan. Ik ga m'n eigen plan maken, weet je.'

'Wat voor plan wat voor plan?'

'Ge-woon.'

De groep valt uit elkaar.

Joop komt bij mij staan, stralend voldaan. 'En, hoe vond je de nieuwe psieg, goeie gozer hè?'

'Weet het niet. Ik —'

'Toch geen ruzie gemaakt, hoop ik? Niet doen hoor, dan worden ze pislink.'

'Ik zei: hi!, maar —'

'Een grap moet je niet te vaak maken. Bovendien, misschien ben ik meer het type met wie je over drugs enzo begint.'

Hamid, zie ik, staat apart van de andere mokro's. Heeft ook al de pest in omdat hij op de feestavond niet zal kunnen opvallen, schijnen, imponeren. Als hij mij ziet wrijft hij met een pijnlijk gezicht over zijn buik.

'En heb je de drie blauwe punten onder z'n duim gezien? Het teken?'

Ik herinner me alleen die meedogenloze ogen.

'En toen je wegging, deed hij toen de boks?'

'De boks?' Een psycholoog? Dokter Röntgen die de knokkels van zijn vuist tegen die van mijn hand duwt? 'Ik denk eigenlijk... Hoe zag jouw spieg er eigenlijk uit?'

Hij lacht. 'Twee brillen om z'n nek waar hij de hele tijd mee zat te spelen. Je weet wel, een voor ver, een voor dichtbij. Maar steeds als hij er een ophad, bungelde die andere van zijn oor. Of stond scheef op zijn voorhoofd. Láchen, man. Komisch type. Maar,' opeens ernstig: 'het leidde wel af van het therapeutisch gebeuren, als je begrijpt wat ik bedoel.'

'Mijn psieg had toevallig géén bril.'

'Contactlenzen?'

'Twee paar contactlenzen? Boven op elkaar? Dan zie je dubbel! Hij had een lang, smal gezicht. Kort haar, met een scheiding.'

'Links of rechts?'

'Geen idee. Wat het meest aan hem opvalt zijn de ogen.' Röntgenogen.

Joop peinst en komt tot de conclusie dat hij persoonlijk dokter Röntgen niet kent. 'Ze komen en gaan hè, het lijkt net een duiventil. Soms vermommen ze zich. Vroeg hij nog naar de hond?'

'Hond?'

'Wie of wat je zou willen meenemen naar een onbewoond eiland?'

'Niet over een eiland gehad, tenminste geen onbewoond eiland.'

Joop ergert zich omdat de werkelijkheid weer eens ongehoorzaam is geweest.

Pauze. Dan komt hij dichtbij staan, fluistert: 'Maar stel dát hij het gevraagd had: wie of wat neem je mee naar een onbewoonbaar eiland, wat had je dan —'

'Jou Joop, jou. Voor de films enzo.'

'Wát? Met *mij* op een onbewoonbaar verklaard eiland? Zonder dope? Ben je helemaal hol van boven? Met mij op een eiland, zonder drugs?' Hij doet vlug een stap achteruit. 'Je bent toch geen homo zeker? Het was bestwel een goeie kerel, die psieg. Hij vroeg nog: En hoe zie jij jezelf over vijf jaar tijd? Wat dacht je van iets snels. Actie. Jullie jonge jongens hebben beweging nodig, zegt-ie met zo'n lachje. Komt-ie met: pizzakoerier. Ik zeg: maar ik hou helemaal niet van pizza! Zegt hij: het is ook niet de bedoeling dat je ze allemaal zelf opeet, Joop! En toen ik wegging nog een keer: niet alle pizza's zelf opeten, Joop! En daar moest-ie zo hard om lachen, ik dacht: die gozer is zo stoned als een garnaal, ech waar. Zo waar als ik hier sta!'

De pedo komt erbij en meldt ongevraagd dat er hotels zijn waar het sanitair naar zijn mening ernstig te wensen overlaat.

Tijdens het avondeten begint Hamid te kreunen. Het geluid komt diep uit zijn onderbuik.

Nee, het kan niet aan het eten liggen (couscous). Zo'n pijn, echt.

'Waar?'

'Hier, aan de rechterkant van de buik.'

Kees kijkt bedenkelijk, fluistert in het glazen hok met de mollige Surinaamse, die voor de eerste keer 's avonds meedraait. Ze vervangt de Torkoe, die in de veiligheidscommissie voor de feestavond zit en dus dag en nacht vergadert. Er kan niets aan het toeval worden overgelaten als zulke hoge gasten onze inrichting met een bezoek komen vereren. We moeten een goede indruk achterlaten, dat staat vast.

Kees pakt de telefoon. Geen gehoor op de kamer van verpleegster Anja, die is allang naar huis natuurlijk. Doktersdienst bellen.

Kees luistert. Ik heb de indruk dat geen woord tot hem doordringt. Sloft naar de jongen die inmiddels op de grond ligt. Op de achtergrond de altijd grijnzende kankerkop van de KV.

Het hoofd van Hamid rolt van pijn heen en weer, praten kan-ie nauwelijks meer.

Kees legt een zware hand op het voorhoofd van de jongen, trekt die snel weer terug of hij zich gebrand heeft.

Woorden als 'acuut', 'verantwoordelijkheid', 'risico'.

Het kreunen van het slachtoffer is intussen verhevigd tot het loeien van een doodzieke koe. De andere mokro's worden er bang van, kiezen de kant van hun leider: 'Als-ie nu doodgaat, is jullie schuld.'

Een dokter verschijnt, een vrouw die schichtig om zich heen kijkt. Knielt bij de patiënt, haar rok glijdt over haar knieën. Voelen, tasten, een ijlende Hamid laat het toe. Soms ligt hij stil, snikt. Dan begint het weer, de 'steekpijnen' houden niet op. 'Een mes in mijn buik. Ik ga dood, mevrouw.'

De dokter schudt het hoofd. 'In zo'n geval geen risico's nemen. Onverantwoord.'

'Is het geen komedie of koliek die vanzelf overgaat dan?'

Kan zijn, maar een verwaarloosde blindedarmontsteking is levensgevaarlijk.

Le-vens-ge-vaar-lijk, de mokro's herhalen het woord in koor.

Kees aarzelt. Hij is een ouwe rot, kent zijn gasten van haver tot gort.

De dokter verlaat de afdeling, begeleid door de Surinaamse stagiaire.

De mokro's praten met opgewonden keelklanken in op een Hamid die al te ver heen lijkt voor woorden. Ver-ant-woor-de-lijk-heid, ver-ant-woor-de-lijk-heid zoem-zoemt het over de afdeling. En nog een derde woord, altijd prijs: dis-cri-mi-na-tie natuurlijk. 'Als dit een tatta was overkomen, lag-ie allang in het hospitaal.'

De enige die zich weinig aantrekt van al dat paranoiagedoe is Joop. Hij zit aan de eettafel te schrijven. Teksten voor zijn optreden. Zijn optreden dat onvergetelijk zal worden, hoogtepunt van de bonte avond. Joop, de onbetwiste winnaar van het Eurovisiesongfestival. De blokletters dansen over het ruitjespapier, zijn hand kan ze nauwelijks bijhouden.

De Surinaamse drentelt in paniek heen en weer, ze jammert, bezweert wie weet wat voor goden.

Dan, eindelijk, het is bijna bedtijd, twee sterke mannen in het wit met een brancard. De zieke wordt vastgesnoerd, het hoofd blijft machteloos heen en weer rollen, de ogen weggedraaid.

'Het lijkt wel een film,' fluistert de pedo naast mij.

We volgen hoe een stervende Hamid wordt opgetild en weggedragen. De jongen ziet, hoort, merkt niets meer. Wil nog maar één ding: verlost worden van de pijn. De Surinaamse staat op haar vingers bijtend toe te kijken.

Kees sluit de glazen deur. Zucht, nu hij verlost is van de verantwoordelijkheid. 'Hoogste tijd, heren. En geen geintjes meer.'

De stagiaire: 'En dat uitgerekend de eerste keer dat ik nachtdienst heb!'

De volgende ochtend is de zieke nog niet terug.

Dat is normaal.

Er moest minstens geopereerd worden, de blinde dinges eruit trekken enzo.

Maar minder normaal is het bericht dat een van de jongens later bij metaalbewerking hoort. Hamid zou op een onbewaakt moment in de stuurcabine van de ziekenwagen zijn geklommen en prompt weggereden.

Bullshit. Vaag verhaal. Hebben we niet met eigen ogen gezien hoe hij werd vastgebonden op de brancard? En zit er niet altijd één ziekenbroeder *achterin* om de zieke in de gaten te houden? Maar de mokro's juichen al, Hamid grote held, Hamid de loesoekampioen, Hamid koning van Marokko, ze lijken wel stoned. 'Die zit lekker te blowen in de shoppa.' 'Nee, die legt te palen met een smatje.' 'Twéé chickies!' Ze zingen een lied waar ze vreselijk om moeten gieren. Nelson zet er een op z'n kamer, om af te koelen.

Het is de Torkoe die 's middags vertelt wat er echt gebeurd is. Ziekenauto stopt voorzichtig op de parkeerplaats van het hospitaal, want de zieke kermt Allah en de hele wereld bij elkaar. Er bestaat een regel of wet dat in zo'n geval het slachtoffer niet op eigen kracht naar binnen mag. Een invalidenwagentje dus. Hamid wordt daar bijzonder zorgvuldig in neergelaten, hij leunt het bezwete hoofd op de leren rugleuning. Zo zit hij doodziek te wachten, zacht kermend. De ziekenbroeder praat met iemand van de eerste hulp, de chauffeur heeft zich omgedraaid om een peuk te roken. En van dat ene moment maakt de zieke, doodzieke, op-sterven-na-dood-zieke gebruik om er als een speer vandoor te gaan. Het is donker, hij schiet ergens tussen de struiken, geen spoor. Lege straten rond het ziekenhuis, aan de overkant verlaten sportvelden. De patiënt en zijn ziekte eenvoudig opgelost in de duisternis rond het kolossale hospitaal. Kortom, Hamid is er weer in geslaagd zich te 'onttrekken'.

'Wat vindt de leiding?'

'De leiding vindt het niet leuk, nee.'

'Komt Hamid nog terug?'

'Op zeker moment staat hij hier weer voor de deur,' zegt de Torkoe beslist. 'Hij wil natuurlijk moeder en zusjes zien en dan duikt hij op op het Zuidplein. Maar of hij hier op déze afdeling...'

De mokro's snateren door elkaar. De blauw krijgt hem nooit, zoveel is zeker. En als ze 'm grijpen gaat hij vast naar

Vught, de beroemde gevangenis waar de grote jongens zitten. Nee, Hamid gaat het nog heel ver schoppen.

En al was het een druktemaker met irritante maniertjes, je mist hem toch. Zijn handlangers zijn trots, maar voelen zich ook in de steek gelaten. Ze zijn zelfs te moe om een potje tafeltennis af te kunnen maken. Een Rachid of Khalid trapt expres het weerloze witte balletje kapot. 'Doe rustig!' 'Fok op jij, teringlijer.' Maar het blijft nog bij woorden. Ze zijn onthoofd, ontregeld, er is geen evenwicht meer binnen de groep.

Ik ga naast Joop zitten en volg zijn driftig schrijvende hand. Ik weet dat ik hem nu niet mag storen, 'inspiratie, bradda'.

Maar hijzelf is het die stokt en de hijgende balpen neerlegt. 'Vandaag of morgen moeten wij een keer spreken. Ernstig spreken. Topconferentie.'

Ik begrijp het.

Hij krabt zich in het woeste haar, een fijne regen van roos daalt neer op de dansende blokletters. 'Het is... ik weet niet... Jij moet me helpen, gab, jij heb ervoor geleerd.'

'Altijd at your service, Joop.'

Maar ook ik moet mij voorbereiden. Nog zeven onuitstaanbaar lange dagen.

Nog zeven dagen voor het gesprek met de man die door je heen kijkt.

Het tweede gesprek

De ochtend van de tweede ontmoeting zit ik als eerste aan het ontbijt.

Ik weet namelijk precies wat ik ga zeggen straks, ik ben er klaar voor.

Meer dan een jaar heb ik op deze afdeling rondgelopen alsof ik er niet bij hoorde. Alsof ik niet echt iets onherroepelijks had gedaan. Een struisvogel die vooral voor zichzelf schuilde. Maar nu ga ik alles eruit gooien. Eerst de helft en als hij me dan met die doorzichtige ogen aankijkt de rest. Dan kan niemand meer zeggen dat ik ontken, ervoor wegloop, misschien wel een psychopaat ben.

De afspraak is pas om half drie, maar ik wil mijn woorden nog één keer doornemen zodat de man met de heldere blik ze makkelijk kan opnemen. Ik zal ook om een glas water vragen, om mijn goede bedoelingen meteen duidelijk te maken.

En ik zal proberen het te vertellen of het over iemand anders gaat. Het is ook meer dan twee jaar geleden, dat maakt zoiets makkelijker.

En toch, praten over vroeger — ik wou dat ik het kon oproepen zoals Joop een film nadoet, met gebaren, uithalen en danspassen die het overdrijven en toch de spanning opvoeren. Maar dat is *zijn* manier van doen. Een geboren acteur omdat hij nooit acteert. En wat ik vandaag te melden heb, het is niet echt komisch te noemen.

Ik kijk naar Joop, die alweer voor zijn papieren zit en ook hij heeft het moeilijk. Zucht, stopt. Maakt een krakende prop van het vel dat hij net heeft volgekrast. Een andere bladzij verscheurt hij systematisch in zo veel mogelijk stukken.

'Wij moeten praten, maatje,' zegt hij zonder op te kijken.

'Maar niet nu. Ik moet vanmiddag —'

'Hoe laat?'

'Half drie.'

Hij pakt zijn horloge dat aan een zware zilveren ketting hangt (een junk kent een junk). 'Nog... effe kijken... dik zes uur, maatje. Maar daarna praten we!' Hij geeft me de boks.

Voordat de lessen beginnen — en gelukkig zijn er vandaag lesuren, de leraren hebben vergeten zich ziek, moe of verhinderd te melden — heb ik nog tijd mijn verhaal door te nemen.

Ik moet vijftien, nee net zestien geweest zijn. Hij hangt op de bank, de belachelijk grote, protserige leren bank waar alleen *zijn* lijf op mag liggen. Flesje bier binnen handbereik. De televisie staat aan, een willekeurig programma, spelletjesshow of ijsballet, als het maar beweegt en lange benen heeft. Wie aan de afstandsbediening komt kan een ram krijgen.

Ik zie het voor me maar ruik het niet. Toch hangt er een bepaalde, onverwisselbare geur die alleen aan ons huis kleeft. Iets metaligs, gemengd met de bitterheid van tabak. Af en toe haalt hij overdreven heftig zijn neus op. De ogen staan nauwelijks in waakstand. Toch leeft het lichaam nog, want de buik ademt.

Er wordt aangebeld.

De bel, nog een keer.

Hij hijst zich vloekend en ruftend overeind, wat-nu-weer-nooit-geen-rust.

Meestal werkt hij ze binnen een paar seconden weg.

Meteropnemers of deurwaarders krijgen te horen: die woont hier niet meer. Voor maatschappelijk werksters heeft hij een speciale behandeling.

Deze keer duurt het langer.

Stemmen in de gang.

Mijn moeder komt de kamer binnen, slaperig, een afgehaald bed.

Ik loop naar de deur maar ze houdt me tegen. Elke afwijking van wat gewoon is kan omslaan in geweld.

Stemverheffing.

Zij opent de deur, luistert.

Ik glip langs haar heen.

Daar, in de smalle gang, de schaduw vormeloos loom; tegenover hem een smalle gestalte die ik onmiddellijk herken.

'Wie denk je wel dat je bent?'

'Ik ben zijn mentor.'

'Mentor, mentor — dat kan iedereen wel zeggen.' Het klinkt verstoord, geïrriteerd, meer niet. Alleen een zoon hoort de dreigende ondertoon.

'Waarvoor moet-ie eigenlijk leren, meneer de mentor, als hij geen zin heb om door te leren? Ik, ikzelf heb toch ook niet doorgeleerd? Wij, wij buitenmensen houden niet van in de bank zitten, weet je.'

Ik hoor de o zo beschaafde stem van de leerkracht die pleit, aandringt, een beroep doet op alles wat verstandig is.

Wat mijn vader uitkraamt hoef ik niet te verstaan, ik heb het zo vaak gehoord: 'Fok toch op, man. Fok op met je bullshitblablabla' enz.

Een man met het hemd uit zijn broek tegenover iemand die voor de gelegenheid zelfs een das om heeft gedaan. Redelijkheid tegen Rambo. Zoiets.

Wij zijn gewend aan een wezen dat elk argument met zijn

handen wil beslissen. We kennen de eb en vloed van zijn stemmingen, vanaf het brommen als hij 's middags onder de douche staat tot het loeiende geschreeuw waarmee hij midden in de nacht binnenstommelt.

De leraar zet ondertussen al zijn argumenten nog eens op een rij. Hij weet niet hoe pislink hij de vader maakt wanneer hij de talenten en het verstand van de zoon ophemelt. Een vader die niet eens in staat was een lading bolletjes over de grens te smokkelen zonder zich te laten pakken. Loser. Iedereen blij als hij weer eens een paar maanden vastzit. Als ik besef dat hij mij voor de helft gemaakt heeft, moet ik bijna kotsen. Omdat ik die helft nevernooit zal kunnen afschudden zonder mijn vel open te scheuren, mijn ingewanden te verdelen, mijn tong doormidden te snijden.

De donkere stem daalt steeds zwaarder neer op de hangende schouders van de leraar, die langzaam terugkrabbelt naar het licht van de voordeur achter hem.

'*Ik* beslis wat mijn zoon gaat worden, weet je, jullie macamba's hebben niet overal de macht, no-no. *Ik* beslis en nobody else. Jullie hebben die eiland kapotgemaakt, jullie hebben' — zijn stem slaat over en er gebeurt iets verschrikkelijks, hij begint te zingen. Het is een loflied op zijn haat tegen de Hollanders, hij schreeuwt het in zijn eigen taal, maar wij kennen de woorden maar al te goed.

Wie heeft ons verkocht?
Macamba!
Wie heeft tegen ons gelogen?
Macamba!
Wie heeft ons bestolen?
Macamba!
Wie heeft ons het stelen geleerd?
Macamba!
Wie heeft ons het liegen geleerd?

Macamba!
Wie heeft ons het moorden geleerd?
Macamba!
Ma-cam-ba!

Zo brullend walst hij de leraar de deur uit, de leraar die gelukkig niet langs het gezang heen durft te kijken en dus de bleke gezichten van moeder en kind niet ziet.

Voldaan komt hij terug, neemt een paar stevige slokken pils, boert en wrijft zich in de handen: 'Zo, die zien we voorlopig niet terug. Mij vertellen dat ik mijn bloedeigen zoon van een mooie carrière beroof! Fucking asshole. Witte watjes, allemaal! Zo wil jij toch niet worden, hoop ik: een bange bleekscheet? Als jij gaat studeren, dat beslis ik.'

Voor hij vertrok om te gaan hosselen of bobbelen liet hij nog één keer z'n handen wapperen. Een gezin hoort te gehoorzamen.

Maar daarmee is het niet afgelopen, dokter. Het ergste komt nog. Het delict. Het eerste delict.

De leraar vraagt namelijk een week later of ik even na wil blijven.

'En?' zegt hij meteen als we alleen zijn.

'En wat?'

'Heb je nog nagedacht over je toekomst?'

Tong verlamd.

'Het is *jouw* toekomst, Ronnie.' En hij begint weer alle mogelijkheden op te sommen. Succesverhalen. Meisje uit zelfde buurt, nu advocaat. Jongen 'met jouw achtergrond', nu hoge baan op het stadhuis, 'Je hebt hem misschien weleens in de krant gezien?' Het kan allemaal, echt Ronnie, we leven in een o-pen maatschappij. 'Ik kan je helpen. Ook financieel, als dat moet.'

Het tikken van de verwarmingsbuizen.

Gejuich op het schoolplein.

'Ronnie? Ben je er nog? Wie weet kun je zelfs een tijdje bij mij komen wonen, tot je gaat studeren.'

Stu-de-ren. Witte watjes.

'Ronnie?'

Geen antwoord.

'Ro-hon-nie? Hallo daar.'

Niks, nada.

Bits: 'Dan heeft je vader dus gewonnen.'

Ik wil niet dat hij zo over mijn vader praat. Ik wou dat hij hem nooit gezien had. Ik zou willen...

'Begrijp je dan niet wat dat betekent?'

Natuurlijk. Ik ben in-tel-li-gent, hoe vaak heeft hij dat woord niet herhaald? Zo vaak dat het niks meer betekent.

'Of wil je soms echt worden als die...'

Hij heeft het recht niet mij te dreigen of te dwingen. Niemand niet.

Eigenlijk is hij nog heel jong, deze leraar. Blauwe ogen, dun rossig snorretje.

Onder zijn trui draagt hij een spijkeroverhemd. Een van de punten van het kraagje hangt bijdehand over de grijze trui heen. De andere punt zit daaronder natuurlijk. Het ziet er stom uit.

En onwillekeurig, om maar iets te doen, steek ik mijn hand uit naar die verdwaalde punt van het boordje, om dat eigenwijze ding er ook onder te stoppen.

De leraar wijkt terug voor mijn hand.

Bang, benauwd want hij heeft mijn vader gezien.

Het maakt me razend, die lafheid, hij vertrouwt me niet.

Ik geef hem zomaar een duwtje, meer niet. Tegen zijn schouder.

Hij staat op.

'Ronnie, het is beter dat —'

Ik sta tussen hem en de deur van het klaslokaal. Hij loert

over mijn schouder maar er is niemand die voorbijkomt en naar binnen kijkt.

Ik ruik zijn angst.

Hij pakt mijn arm, zijn vingers trillen. 'Het is beter als we dit gesprek nu als geëindigd beschouwen, vind je ook niet?'

'Laat me los.'

'Ronnie, ga nou —'

'Raak me niet aan! Raak... mij... niet... aan.'

Hij duwt, stuurt mij in de richting van de deur.

Ik loop weg.

En dan hoor ik hem het woord zeggen, luid en duidelijk: 'Stomkop.' Ik loop door, maar de rest van de dag en de hele nacht blijft het woord door mijn hoofd hameren. En als je woedend bent omdat je niet weet te kiezen, nemen je handen het over. Zo gaat dat.

De volgende dag. De leraar zit in het nog lege lokaal een appeltje te schillen. Hij krijgt niet eens de tijd om op te staan. Ik geef hem een ram, meer niet.

Later heb ik geen spijt. Eerder een gevoel van opluchting, dat ik me niet langer mooier hoef voor te doen dan ik ben. 'Voortaan weten we precies waar we met jou aan toe zijn.' Ik hoef niet meer op deze school te komen, 'dat begrijp je zeker wel?'

Mijn moeder? Die ligt drie weken in een donkere kamer zonder op te staan: 'Ik wil dood wil ik. Niemand meer zien. Het is allemaal *mijn* schuld.' Maar ook dat kon niks veranderen aan wat er gebeurd was. Ik had gekozen zonder te kiezen. Zoiets. Mijn vader vertrok naar die eiland.

Het is doodstil in huis. Er wordt gebeld. Neef Jeffrey, hij komt een man van me maken. We lopen breeduit op straat. De meeste voetgangers wijken uit. Eén jongen wil bijdehand doen, een student bleek later. Jeffrey geeft me die mes. Het ging vanzelf. Het zou iedereen kunnen overkomen.

Ik kijk op mijn horloge: vijf voor half negen. Mijn hele verhaal heeft niet meer dan een minuut of tien geduurd! Ik ben bang dat het bij elke herhaling verder gaat krimpen zodat er uiteindelijk niet meer dan een paar hakkelzinnen voor de man met de doorzichtige blik overblijven. Blijf rustig! Zet het uit je hoofd!

Wat me ook hopeloos stoort want voortdurend bezighoudt: als iemand een afspraak maakt op het *halve* uur, betekent het dan dat je niet meer dan dertig minuten de tijd krijgt om je ziel op tafel te leggen? Ben ik als 'geval' te licht voor langduriger aandacht? Of heeft hij de rest van de middag voor mij uitgetrokken, de doorbraak, de grote wending in het leven van Ronaldo-die-eerst-een-oester-leek?

In de middagpauze repeteer ik het nog drie keer: één keer op mijn kamer, één keer in de eenzaamheid van de plee, één keer in een hoek van de afdeling, waar ik me veilig waan voor vreemde oren. Tot iemand naast me komt staan.

'Er zijn hotels waar —'

'Fok op, fok op met je bullshit, gore kinderlokker.'

'Sorry hoor.'

Kwart voor twee wisseling van de wacht. Sandra. Ze is mijn mentor dus ze zal over een half uur naar me toe komen om me te waarschuwen. En meelopen tot voor de deur waar de man met de röntgenogen wacht.

Maar op dit moment maakt ze nog geen aanstalten. Negeert me zelfs, want zit nu alweer te smoezen met de KV die zijn tanden bloot lacht boven zijn eeuwig witte trui. Een wandelende reclame voor wasmiddelen, die eikel. En wat is-ie weer charmant vandaag, met z'n handgebaartjes en z'n scheve lachjes, je zou zweren een homo. Al mijn briefjes hebben niks geholpen. Zoek het dan zelf maar uit, bitch!

Kwart over twee loop ik naar de plek waar ze tegen elkaar aan geplakt zitten. Kuch overdreven, buig me voorover — de

KV bijt mijn halsslagader door om het bloed uit mijn kop te zuigen – en ik zeg zo rustig en kalm mogelijk: 'Ik moest vanmiddag toch naar die psieg?'

Betrapt kijkt ze op, bloost (of lijkt haar hoofd zo rood tegen de achtergrond van die sneeuwwitte trui?) en vraagt onnozel: 'Welke psieg, Ronnie? Ik weet van niks.'

'Die met die lichte ogen. De nieuwe.'

Ze staat op, strijkt haar broek glad, lijkt geschrokken: 'Maar ik dacht dat... Loop even mee.'

We gaan naar het glazen kantoortje, de KV volgt ons op de voet, een hatelijke grijns op z'n gluipkop.

Ze rommelt wat in haar zilveren tas, die zoals altijd wijdopen op het bureau staat uitgestald. Kijkt in het grote boek waarin alle afspraken staan genoteerd, haar vinger zoekt.

Pakt de telefoon.

'Ik heb hier iemand voor de nieuwe psycholoog.'

Een lang verhaal van Control.

Sandra knikt, kijkt bezorgd naar mij, schudt het hoofd. 'O, op die manier.'

Control geeft nog meer uitleg.

'Zal het doorgeven.'

Mompeldemompel aan de andere kant van de lijn.

'Geef me dan even een belletje als –'

Wauweldewauweldewauw.

'Is goed.'

Is helemaal fout dus. Ze staart me aan, hoorn in de hand. 'Hij is...' Ze gaat zitten, vermoeid. Ze heeft zich slordig opgemaakt vanmorgen, waardoor haar gezicht scheef lijkt, losgeslagen. Achter het glas staat haar aanbidder te blinken. 'Hij is... zegmaar verhinderd.'

Verhinderd? Wat is dat voor een kutsmoesje? Is hij dood, is hij ziek?

'Ik zou... Hij zei...'

'Wat zeg je, Ronnie?'

'Wij hadden een afspraak.'

'Hij... hij kan je onmogelijk ontvangen. Vandaag niet tenminste.'

'Morgen dan?'

Ze ontwijkt mijn blik. 'Morgen weet ik niet.'

Ik wijs op de hoorn die ze nog steeds in haar hand houdt: 'Je kan bellen.'

'Dat zal niet helpen, Ronnie.'

Ronnie-me-niet! 'Maar ik zou... wij zouden...'

Dan, eindelijk, oogcontact en bijna verdrietig zegt ze dat wij deze dokter waarschijnlijk voorlopig niet meer hier zullen zien.

Is dat alles? Moet dat een verklaring voorstellen? 'Heeft het soms met mij te maken?' Hij is bang, bang voor wat hij vindt als de oester opengaat.

'Nee, het heeft echt niks met jou te maken.' Ze stamelt wat over een incident.

Aha, eindelijk, dat is het dus. Dokter Röntgen heeft een ram gehad en is meteen afgetaaid! Een of andere gast heeft hem een duwtje gegeven en weg was-ie. Geen ziekteverlof, maar vrijwillig ontslag. Dokter Röntgen heeft zich 'onttrokken' want geen zin meer om zich over de ziel van dat schorem, tuig, gajes, reddeloos uitschot te buigen! Die fokking psieg haat ons: jullie zoeken het zelf maar uit!

'Ga even zitten, Ronnie, ik haal een glas water.'

Ik hoor haar rommelen in de ruimte achter het hok waar de leiding zijn eigen wasbak en plee heeft. Ik wil geen water, ik wil die man met zijn helse ogen! Ik eis een gesprek. Ik heb het recht op behandeling, dat staat in de wet.

De open tas kijkt mij spottend aan. De hele handel leeghalen en wegstoppen. Opvreten of verkopen.

Ze komt terug en begint meteen over iemand anders, een andere psieg.

Ik wil niemand anders, ik wil dokter Röntgen. Hem vertrouwde ik omdat hij dwars door me heen keek en toch niet schrok.

'Ronnie?'

Haar vingers raken de rug van mijn hand aan. En ja, dat maakt mij rustiger. Rustig genoeg om weggestuurd te worden.

Pas als ik de afdeling weer op loop komt de woede terug. Ik stap dwars door de KV heen die snel wegduikt (geen rooie vlekken op m'n trui, please).

Dan voel ik hoe iemand mij voorzichtig bij m'n elleboog pakt.

'Kom even mee,' zegt Joop.

En bij het raam, met de rug naar de groep: 'Hier.' De pil wisselt zo snel van hand dat ik al geslikt heb voor ik kan praten.

'We moeten —'

'Word je rustig van, dude.'

'We moeten snel iemand bellen. Om hulp. Ik heb recht op behandeling, dat heeft de rechter zelf gezegd en het staat ook in het behandelplan.'

'Rustig nou, Ron, ech. Alles komt goed, geloof me.'

'Wie kunnen we bellen, wie, jij hebt... connecties, we moeten iets doen, ze kunnen me niet zomaar —'

'Eerst rustig worden, Ron.' Hij tikt tegen zijn schedel: 'Koppie-koppie gebruiken. Overhaast is er altijd naast.'

Een pil kan niet zo snel werken en toch voel ik mijn armen en benen langer worden. Ik probeer het nog één keer: 'We *moeten* iemand bellen.'

'Rustig maar.'

'Weet jij niet iemand, iemand die...'

'We kunnen Apeldoorn bellen.'

'Wie?'

'Apeldoorn van de film, van: "Even Apeldoorn bellen", weet je wel.'

'Is dat een advocaat? Weet jij een advocaat?'

'Me zus.'

'Nee, even serieus.' Maar de loomheid heeft nu al mijn borstholte bereikt, waar het hart zich erbij neerlegt. Het hoofd wordt licht. Het drukt niet langer op de romp, het zweeft bijna zorgeloos.

'Je voelt je al beter hè?'

'Ach Joop, als we jou niet hadden...'

'Zeg zulke dingen nou niet, de mensen gaan er wat van denken.'

'Waar hadden we het over?'

'Over hulptroepen.'

'Oja, natuurlijk. Hulptroepen. Hulpverlening.'

De wereld wordt interessant, boeiend en barstensvol mogelijkheden. Een afdeling is altijd druk, maar deze keer zoemt het overal van de plannen, overleg, verhalen, verzinsels. Mijn oor gloeit en groeit, ik kan alles begrijpen en alle talen verstaan; mijn oog een foto-elektrische cel die haarscherp waarneemt en ook het dunste detail feilloos opneemt en doorgeeft.

Doorgeven aan wie?

Joop, die net nog broederlijk naast mij liep en mijn elleboog stuurde, zie ik nu aan tafel zitten waar een blocnote zich met blokletters vult. Hij heeft mij gered. Wat hij ook vraagt, ik zal hem altijd helpen, onvoorwaardelijk.

Een van de mokro's, ik geloof dat hij Ab heet, moet morgen naar de rechtbank. De anderen staan hem op te fokken: jij moet volhouden, weet je, jij zegt dat je bij je neef was of op het Mercatorplein. En als ze vragen: kom je wel eens in de Javastraat, dan zeg jij meteen: weleens geweest, maneer of edel achtbare, weleens geweest, kan zijn, komt voor, maar niet op de dag die jullie bedoelen. Was bij mijn neef met blindedarmontsteking. En jij kijkt de edel achtbare recht in de ogen en jij zegt zonder boe of bah: eerlijk maneer, ik kan het niet doen maneer, zo'n overval met geweld op een winkel. Iz laf. En als zij vragen: hoe komt het dan, Ab, dat zij jou herkend hebben, dan jij: ze kennen mij bij de blauw, als iemand ergens een geintje uithaalt, ook al is het aan het andere eind van de stad: heb Ab gedaan. Net als mijn broertje, maneer, hebben met vliegende sirenes de straat afgezet, komen ze met vier vijf man de trap op stampen: jij bent herkend, jij. Kan niet maneer, m'n broertje zat toen op school, twee drie van ons zijn de getuigen en dan pas laten ze hem gaan. Peuter van twaalf! En je *moet* het blijven herhalen: ik kan het gewoon niet doen, maneer, zo'n overval, echt waar, zo'n jongen ben ik niet. Vroeger wel misschien, maar ik heb tegenwoordig een baan, maneer. Wat voor baan? Pizzakoerier en krantenbezorger. Twee banen, maneer.

Zo waffelen ze op hem in, raad van advies. Niet aan het onderzoek van de spieg meegewerkt? Zeg dat die man altijd te laat kwam of ziek was, weten zij veel. Als je niks zegt, kunnen ze ook niet opschrijven dat je gestoord bent of slecht gehecht. Grote bek tegen de wijkagent? Dat komt omdat hij overal de kinderen uit huis wil halen, echt waar edel achtbare, bij ons in de straat wel drie gevallen, zielig maneer.

En wat je nevernooit moet doen is je verklaring veranderen, ook al laten ze je een foto van het wapen zien of halen ze de slachtoffers erbij: jij, jij kan zoiets nooit doen. Het gaat ook juist heel goed met je, de leraren geven je de hoogste cijfers en je hebt dus een baantje, twee baantjes, het is nog nooit zo goed gegaan, over een paar jaar ga je trouwen ook.

Als zij jou nu van school halen, maken ze alles kapot wat je al die maanden heb opgebouwd, dat zegt jouw advocaat toch ook? Jij bent het niet geweest, iemand heb je mobiel gestolen, een of andere junk ofzo, en daar blabla in gepraat. En die broek, zo'n spijkerbroek van Diesel kan je overal kopen toch? Ze hebben niks, geen snipper van bewijs en dan gaan ze stoer doen maar je hoeft helemaal niks te zeggen. Laat de advocaat praten. Videobeelden? Paar vage figuren met een hoodie over hun kop, kunnen ook Suri's zijn. Als ze zo'n foto uitvergroten blijven er niks als grijze stippen over. Geen wettig en overtuigend bewijs.

En aan het eind moet de advocaat zeggen: mijn cliënt wil graag nog een brief voorlezen die hij helemaal zelf heeft geschreven. Daar houden ze van, dus je leest: ik was het niet en ook al was ik het geweest, nu leef ik anders. Twee, nee drie baantjes: pizza's, kranten en de snelpost of zoiets. Ik ben anders meneer de edel achtbare, ik deed slechte dingen vroeger maar ik ben geen slechte jongen. Enzovoorts. Dat vreten ze. Dan is het: Ab, wij moeten jou een laatste kans geven. Zo'n inrichting, daar leer je alleen slechte dingen.

Als ze vragen of jij spijt hebt enzo: hoe kan ik spijt hebben, maneer, ik was er niet, hoe kan ik spijt hebben over wat ik nooit heb gedaan? Ik vind het wel heel zielig voor die mevrouw, hoor. Maar het is de blauw die je gewoon binnen willen hebben, ze verzinnen gewoon van alles omdat ze niks te doen hebben en anders ontslagen worden. De 'harde kern van jonge criminelen'? Die bestaat helemaal niet, een paar foto's die ze in een boek bij elkaar hebben geplakt, dat weet je toch, 'om aan de burgemeester te laten zien als die weer eens geschokt op bezoek komt'.

Het is of ik een duw in m'n rug krijg. Ik weet het, mijn hoofd is licht, de pil, maar ik kan het niet beheersen, al probeert Joop mij nog tegen te houden. Ik stap de kring binnen en verklaar: 'Dat laatste is niet goed. Je beledigt de blauw en de burgemeester, dat valt helemaal verkeerd.'

Ze kijken me allemaal aan, argwanend eerst — altijd schichtig, die lui — maar toch stil. Ze houden hun mond, misschien omdat ze weten wat ik heb meegemaakt of omdat ze moe worden van hun eigen gezoem, of omdat ze zien hoe kleine Ab onder het bombardement van al die raadgevingen in elkaar krimpt, hij wordt een jochie van zes, zeven jaar dat maar één ding wil: door zijn moeder en zusjes met zoetigheid verwend worden. En ik begin, al voel ik Joops greep op mijn arm steviger worden. Het is zo simpel: 'Je moet ze verrassen. Jullie, jullie ontkennen altijd, je was er niet bij, kan het niet doen enzovoort, enzovoort. Jij bent niet de eerste die dat zegt, de rechter heeft het al zo vaak gehoord en denkt meteen: wéér dezelfde kutsmoes, de eerste Marokkaan die bekent moet nog geboren worden. Dus de rechter knikt deftig terwijl hij zogenaamd luistert en van binnen kookt-ie van woede. Het zijn ook mensen. Dus... je moet ze verrassen.'

Ik wacht, ze staren me aan.

'En dus doe jij het heel anders deze keer. Je zegt gewoon: Edelachtbare, ik heb het gedaan. Ik en er waren anderen bij, maar dat waren meelopers en ik ben geen stitch. Maar ik, ik heb het bedacht, ik heb die vrouw bedreigd, en dat die vrouw mij herkent, dat klopt dus. Ik heb spijt. Het was een kwajongensstreek en ik heb er niet meer dan twaalf euro vijftig mee verdiend. Ik ga mijn leven veranderen. Ik ga hard op school leren en geen dag verzuim meer, ik neem drie baantjes en ik gedraag me voortaan alleen nog maar prosociaal. Geeft u mij alsjeblieft nog één kans, mijnheer. Of, als er drie of vier zwartjurken zitten: dames en heren. Zo doe je dat. Denk eens aan de film die wij elke avond zien. De eerste keer lachten we ons kapot, de pedo piste in zijn broek. De derde keer liep er al iemand weg naar zijn kamer. Nu, na vijf keer, zit iedereen gewoon te gapen. Zo is het ook met jullie "Ik was het niet". De eerste keer werkt het en nu verveling. Dus als je de rechtbank wil verrassen, zeg dan dat je erbij was. Zo zie ik het.' De rest laat ik aan hun verbeelding over.

Zelf zie ik het in heldere kleuren voor me: rechtbank verbijsterd.

Nog nooit meegemaakt, een Marokkaan die toegeeft dat hij het gedaan heeft!

Die eerlijk bekent.

Die niet begint over wij lijken allemaal op elkaar en altijd weer die discriminatie enzo.

Maar die gewoon zegt: fout geweest. Ik heb verkeerde dingen gedaan maar ik ben geen slechte jongen.

Eindelijk, eindelijk eerlijkheid, officier van justitie bijna in tranen: een begin van inzicht! Wij moeten een voorbeeld stellen: deze unieke Marokkaan moet meteen vrij!

'Maar,' vraagt slimme Saïd, 'als-ie nou echt werkelijk geen schuld heb, moet-ie dan ook zeggen: ik heb het gedaan?'

'Dan juist! Om ze in verwarring te brengen!'

De mokro's zoemen als gekken door elkaar heen in hun g-g-taal, tegen elkaar in, over het hoofd van kleine Ab heen. Joop probeert me nog weg te trekken, hij is bang dat de opwinding zich tegen mij gaat richten. Maar ik hoor omdat ik nu alle talen kan verstaan: ook Abs advocaat heeft het voorgesteld! En nog nooit heb ik zo zuiver beseft wat mijn beroep zal worden, ik heb het langs deze omweg doorgekregen: Advocaat.

Geschreeuw.

Sandra komt erbij en dan roepen de mokro's: we willen de imam spreken, nu meteen.

Hun imam. (Ze zijn mij finaal vergeten.) De Marokkanen lopen allemaal bij hun imam. Die heeft een eigen kantoortje met stenen wasbak ervoor, kunnen ze eerst hun onreine tenen schoonspoelen. Wat ze daar bespreken is een raadsel. Hij schijnt nogal lang van stof te zijn, de imam, want de gesprekken lopen altijd uren uit, worden zelfs vaak naar de volgende dag verplaatst. Wachtlijsten. Je ziet hem weleens langsschuifelen. Een dun mannetje, gehuld in een lichtbruine deken. Hoodie diep over zijn voorhoofd getrokken alsof hij niet herkend wil worden. Dun grijs baardje. Stripfiguur.

'Denk je dat de imam ook ongelovigen aanneemt?'

Joop, nou opeens naast me, kijkt verbaasd.

'Die imam, zou die ook mensen als wij die niet van het geloof zijn, aannemen?'

'Maar wij hebben toch de dominee?'

'Dominee, dominee, daar heb ik nog nooit wat over gehoord. Weet je dat zeker? Ken je die?'

'Dat niet direct nee. Maar waar een imam is, is ook een dominee. Waar rook is, is vuur.'

Een dominee! Mijn moeder gelooft in dominees. Niet dat ze zelf zo vaak naar de kerk gaat ofzo. Haar God was de blinde muur waar ze de hele dag naar lag te staren.

Ook als die dominee een sukkel is, je bent even weg van de afdeling en je hoeft niet op je hoede te zijn. Gewoon een gesprek met een normaal mens. Ook als hij doof is, maakt niks uit. Beter zelfs. Het valt te proberen.

We lopen naar het glazen kamertje van de leiding. Sandra zit voor de computer het verslag van de dag uit te tikken. Ik bons met mijn knokkels tegen de ruit.

Ze doet de glazen deur op een kier, verstoord. Achter haar rug staat de zilveren tas uit te puilen. 'Ja?'

'Ik wil de dominee spreken.'

'Ronnie, de dominee, jij?' Ze kijkt langs me heen, neemt argwanend mijn vriend Joop de Dope op, die half achter me staat. Maar Joop ziet er *altijd* uit of hij de hele dag blowend heeft doorgebracht, dat weet iedereen.

'Ik... ik wou de dominee spreken. Het is nogal dringend.'

Ze schudt het hoofd: 'Eerst de imam, nu de dominee, wat hebben jullie toch? Het lijkt wel een ziekte.'

'Het is echt nodig.'

'De dominee...' Ze bladert in een klapper. Prevelt namen, lispelt. 'Ik weet niet...' Ze toetst een nummer in.

Er wordt niet opgenomen.

'Ik denk niet...'

De dominee woont hier natuurlijk niet, de imam ook niet. Je kan ze alleen thuis bellen. Dag en nacht. Ze hebben altijd dienst want het gaat om de ziel. 'Zijn huisnummer,' dring ik aan, 'een dominee moet altijd bereikbaar zijn voor de ernstige gevallen.'

Ze zucht, zoekt contact met Control. Je ziet aan al haar bewegingen: ik doe dit alleen omdat dokter Röntgen je heeft laten barsten (swg).

Ook Control moet kennelijk zoeken.

Komt uiteindelijk met twee nummers.

Eén buiten gebruik. 'Hoor maar,' zegt ze: een treiterend toontje.

Dan is het raak. Ze luistert met een diepe denkrimpel tussen haar wenkbrauwen. Spitst de lippen, knikt. De stem, hoewel voor mij onverstaanbaar krakend, klinkt sympathiek. Ze legt de hoorn neer: 'Deze vrouw weet over wie het gaat. Ze denkt dat ze wel achter het nummer kan komen, ik moet morgen terugbellen. Het kan ook zijn dat de dominee naar Italië verhuisd is, zei ze.'

Ik ben opeens doodmoe.

Aan tafel blijft het betrekkelijk rustig.

We kijken toe hoe Stanley een halve fles tomatenketchup op zijn bord klotst, een bloedbad over de couscous.

De KV zit naast Sandra natuurlijk, die twee klitten aan elkaar. Zo nu en dan vang ik haar blik. Lichte frons, dan rebbelt ze weer door. Ze heeft een zus die in Dieren woont. Dat weet ik, ik heb het genoteerd zoals ik alles wat ze losliet opschreef voor de KV ertussen kwam.

's Avonds wordt weer dezelfde film als altijd vertoond. Negers zo stoned dat ze schaterend met hun cabrio tegen een boom terechtkomen, 'shit, mán'.

De pedo loopt onrustig rond. Vraagt iets aan Brian. Die denkt diep na. Antwoordt niet maar wijst alleen op zijn lood-zware hoofd en loopt door.

Joop werkt grinnikend aan zijn teksten.

Brian laat het gifgroene monster verwoestend door de stad dwalen. Het licht maakt zijn gezicht groen, het lijkt of hij grijnst.

De voetbalvechter draagt vandaag een zwart T-shirt met in witte letters: SHIT HAPPENS.

Toch weet ik dat ik goed zal slapen. De pil is bijna uitge-werkt maar laat een prettig loom gevoel achter. Vannacht geen nare dromen.

Alles onder controle.

De commissie

De dag komt traag op gang.

Er is geen les want studiedag voor de leraren.

Het tempo ontbreekt, de ochtend rekt zich uit. We zijn te moe om ruzie te zoeken, al roept iemand 'Hé, eikel met je apensmoel' in de doucheruimte. Het antwoord kennen we natuurlijk al.

Dan verschijnt de pedo op de afdeling.

We hebben hem niet gemist, niemand heeft zijn afwezigheid opgemerkt maar Nelson brengt hem binnen.

De jongen ziet bleek, ogen staan op overlopen, slap in de knieën, het lijkt of hij een afranseling heeft gehad.

De andere groepsleider, Kees, geeft hem een klap op de hangschouder: 'Kop op, joh, niet doen of de wereld vergaat!' De jongen krimpt nog verder in elkaar.

De pedo, zo blijkt, is in de vroege ochtend voor de commissie verschenen die de voorstellen voor de grote verzoeningsfeestavond moet goedkeuren. Zijn voorstel is niet goed gevallen.

'Ze begrepen het niet,' snikt hij. En uit zijn snotterige woorden blijkt dat het over vakanties ging, het nut en de mogelijkheden van vakanties enzo.

Maar de commissie heeft er helemaal niks van gesnapt. Of het geestig bedoeld was, vroegen ze. Waar het over ging, waar hebben we het eigenlijk over?

Toch was het onderwerp 'zo klaar als een klontje': schone douches, verse handdoeken, genoeg toiletpapier, stukje zeep (liefst nog ingepakt, zodat je niet andermans schuim hoefde te gebruiken), plastic flesje shampoo. Het zijn juist de kleine dingen die het verschil maken. Hoe je een goed hotel met één blik op de badkamer van een slecht kan onderscheiden. 'Een soort gebruiksaanwijzing, zegmaar.' Hij had er meer dan een volle week aan gewerkt!

Maar, snik-snik, snuif-snuif, ze vonden het niet op-bou-wend genoeg... Geen op-ti-mis-me... Geen moraal eigenlijk, daar kwam het op neer. Verdwaasd kijkt hij om zich heen, of die moraal ergens op de afdeling is te vinden, verborgen in een oude pan, onder een kussen, achter het hout van een plint. En zijn ogen, het is geen druppelen meer maar een waterval.

Sandra onderbreekt haar Engelse les, staat op en slaat een arm om de hulpeloze jongen. De KV, ondertussen, loert op de strot van het snikkende slachtoffer.

De pedo veegt zijn druipneus droog aan Sandra's trui, komt boven water, haalt adem en h-hijgt: 'Het is een belang-rijk onderwerp.'

'Natuurlijk is het een belangrijk onderwerp,' troost San-dra.

'Het m-menselijke lichaam kent zo-zo-veel verschillende openingen die allemaal vervuild, verstopt, verwaarloosd kun-nen raken. Daar moeten we toch zorgvuldig mee omgaan?'

'Tuurlijk, jongetje.'

'Ze vonden het niet n-niet rele-'

'Relegieus?' vult Sandra aan.

'Nee, rela-'

'Relaties? Maar dat is toch altijd goed, over relaties enzo praten. Toch?'

Hij aarzelt, zijn neusgaten druipen. 'Nee, geen relaties.'

Hij blijft worstelen met het woord dat treiterig voor zijn ogen blijft dansen.

'Relatief?'

'Neenee. Wel zoiets.'

'Relevant?'

'Ja, dat was het,' zegt hij dankbaar. Niet rele...'

'... vant.'

Alsof daarmee alles verklaard is.

'Jij, jij kan best iets maken wat door en door relevant is, hoor,' probeert Sandra hem te sussen. Hij kruipt bijna in haar warme trui. Moederskindje.

'Wat is dat eigenlijk, rele... rele...?' vraagt Brian.

'Doet er niet toe,' zegt Sandra kordaat terwijl ze de hangende jongen van zich af probeert te schudden.

'Het be-belangrijkste is: dat ze het niet goed vonden. Niet goed genoeg.'

Sandra tikt op het glas van haar horloge met de Romeinse cijfers die alleen ik kan lezen: 'Maar je hebt nog alle tijd om iets moois te bedenken. Je moet nooit *meteen* opgeven. En —'

Ze maakt haar zin niet af, want Nelson wenkt haar.

De groep valt uiteen.

Joop trekt aan mijn elleboog. Hij maakt een zenuwachtige indruk, zeker te veel uit zijn eigen apotheek gesnoept. Zijn armen zwaaien en zijn benen zwabberen, staat op het punt tegen het plafond te stuiteren. Hij maakt het gebaar van kom-mee. We zonderen ons af in de hoek van de keuken, waar de etensgeuren van weken couscous en macaroni zich verzameld hebben.

Hij snuit heftig zijn neus en begint een verward verhaal dat hij gelukkig twee keer herhaalt zodat er zowaar iets als een verband zichtbaar wordt. Het komt erop neer dat hij onzeker wordt over zijn optreden, nu duidelijk blijkt dat de commissie de voorstellen voor de bonte avond aan een scherp kritisch onderzoek zal onderwerpen. Of kort door de bocht: is zijn eigen plan wel opbouwend en religieus genoeg, zoals die commissie kennelijk wil?

Volgen nog wat wilde hersenspinsels waaruit weer blijkt dat hij, Joop de Dope, zichzelf ziet als het onbetwistbare hoogtepunt van de feestelijke bijeenkomst. En om die reden zou hij ook als allerlaatste willen optreden, 'zodat de mensen met een goed gevoel naar huis gaan: die criminelen, hun doen weleens wat verkeerd maar er zitten ook kunstenaars onder, begrijp je? Zoals Van Gogh, die begrepen ze ook niet, in z'n tijd.'

Bovendien, hij is een van de oudsten, zit in de zwaarste groep en is het meest milieubewust. 'Komt goed over, begrijp je, bij een publiek dat denkt dat wij als ronddraaiende tollen door een blind heelal zweven. Mi-li-eu-bewust. Een belangrijk en blijvend onderwerp op de maatschappelijke agenda.'

Er is geen mens die een uitdrukking als 'een belangrijk en blijvend onderwerp op de maatschappelijke agenda' zo overtuigend en sociaal in de mond neemt als Joop. Ik geloof in hem en niet alleen omdat hij mijn maat is. Met wat coaching en een goede timing zou hij een hele zaal plat kunnen krijgen. 'Dat is heel goed, Joop, prima opzet. Chill.'

Hij straalt.

Nu heel, heel tactvol blijven: 'Maar, als ik het heel eerlijk mag zeggen: je moet voorzichtig doen met dat milieu enzo. De mensen komen niet naar een feestavond om een sloot ijswater over zich heen te krijgen. Je moet het... doseren. Mondjesmaat, lepel voor lepel toedienen. Dan heeft het veel meer effect, dat is bekend.'

Hij denkt na.

Ik besef dat dit een beslissend moment is in onze vriendschap. Niemand op deze afdeling kan tegen tegenspraak. Oneens betekent oorlog, jij of ik. En ik voel hoe hij nu worstelt met de aandrang om mij fok-op-jij-teringlijer in het gezicht te spugen. Zijn voeten schuifelen maar blijven op de plaats, zijn rechterhand maakt schokkende bewegingen of hij iets tegenhoudt, wegduwt. De vingers verstrakken. Ik hoor zijn kaken malen. En ik bedenk: springt hij nu op me af, dan ben ik mijn enige vriend kwijt. We zullen elkaar in de toekomst angstvallig mijden. Of een van de twee op een andere afdeling geplaatst. Gaan er nu ook zulke onrustige gedachten door *zijn* hoofd, door dat lichaam dat alleen uit grillige invallen lijkt te bestaan?

Hij draait zich naar mij toe, de diepe lijnen in zijn huid ontspannen zich en hij legt uit dat hij zich al verzekerd heeft van begeleiding, een Surinaamse combo, waar ook de broer of neef van Brian in zit. Zodat het niet gaat om één man alleen die daar loopt te gillen en gek staat te doen, maar om echt the-a-ter. 'Het volkomen huwelijk tussen woorden en noten,' zoals hij ergens gelezen had.

'Briljant idee, Joop, om die jongens erbij te halen.'

'Ja toch?' En zachter: 'Kijk, zelf hou ik helemaal niet van rapmuziek, maar die mensen zien daar een paar zwarte jongeren op het toneel met muziekinstrumenten en dan denken ze meteen: rap. En dan krijgen ze ook rap, reken maar van yeah-yes!'

'Geniaal. Schrijft die neef van Brian ook teksten?'

'Geen idee.'

'Maar wil-ie zelf niet zingen?'

'Ben je loco? *Ik* schrijf ze natuurlijk, ik zei de gek!'

'Misschien... Het is maar een idee: misschien moeten we daar samen aan werken.'

Hij reageert niet.

'Wij samen, jij en ik.'

'Jaja, I hear you, man.'

'Twee kunnen meer dan één, Joop.'

'Dat is ook weer waar. En jij die op de havo heb gezeten. Maar...'

Ik begrijp het: gedeeld succes is half succes. 'En we spreken af dat in het programma alleen *jouw* naam staat. Het is *jouw* idee. Ik zorg alleen dat het... dat het net genoeg opbouwend en religieus wordt, weet je wel?'

Hij kijkt me aan. Ogen twee spleten argwaan. Gif. 'Jij bent mijn gabber, dus ik vertrouw je. Maar verneuk je me, sloop ik je. Oké?'

'Oké. Zou ik ook doen.'

'Oja?' En opeens springt hij omhoog. Zijn lange benen schieten het pezige lijf de lucht in. 'Helemaal mee eens, broertje. Wij-werken-samen. Wij-werken-samen. Vanavond beginnen wij al samen te werken. En we rappen erop los.'

Hij geeft me een klamme hand.

En daarna de boks: 'Deal!'

We gaan als samenzweerders uit elkaar.

Laat in de middag keert Ab terug van de rechtbank. Er drijft een wolk van woede voor hem uit. 'Fokking teringadvocaat. Fokking kankerdebiel, heeft alles verpest.' De pedo drukt zich tegen het glas van het kantoortje waar de groepsleiders (twee nieuwe) naar sites met auto's zitten te staren. Modellen tegen elkaar afwegen, prijzen vergelijken, kruissnelheid, dat je tegenwoordig zo krankzinnig veel voor een liter benzine betaalt. Het windt ze meer op dan porno. Daarom reageren ze verstoord als Ab meteen naar huis wil bellen, vóór alle anderen die al op de bellijst staan. Hij dringt aan: 'Ik kom van het gerecht.' Ze geven uiteindelijk toe omdat ze zien dat hij op springen staat. 'Voor deze keer dan.'

Na een grommend gesprek struint de jongen over de afdeling, op zoek naar slachtoffers. Uit zijn neus stoomt rook, zijn ogen vonken en zijn mond mompelt zeker geen gebeden. Pas na een kwartier, twintig minuten zakt hij neer op de bank. De andere mokro's kruipen om en over hem heen. Wats keburt, wats keburt in het mokroos.

Het verslag komt in brokstukken.

Het blijkt dat Ab, ondanks alle goedbedoelde raadgevingen van zijn matties, toch een foutje heeft gemaakt. Op het bureau, toen ze hem gepakt hadden, heeft hij zich laten overdonderen door twee ouwe rotten in het vak. 'Als jij nu bekent, sta je zo weer buiten. Je maatje is al naar huis, dus...' Daarom gaf onze Ab toe, ja, ze hebben die sieradenwinkel overvallen. Eigenlijk meer een grap, dat wel. Pistool? Pipa was nep, gewoon bij Intertoys gekocht. Hij wou alleen iets moois voor zijn moeder kopen, die was ziek en een week later jarig en toen ging die verkoopster bijdehand doen. Ze zijn weggerend, gevolgd door een man op een fiets en een op een brommer. De brommer was het snelst maar naast de fiets liep een hond als een gek te blaffen, je werd er akelig van. Dat hele verhaal, een wettig en overtuigende schuldbekentenis, heeft hij met zijn volle naam, Abdelkader el Hadji, ondertekend.

Maar op de zitting heeft Abdel tot schrik van zijn advocaat alles weer ingetrokken. Nooit op die plek geweest, nee. Wist niet eens waar die straat was. Misschien ooit in de tram voorbijgereden, kan zijn.

Verder op elke vraag: ik weet het niet, was er niet bij.

Eén rechter zit er glazig bij. Lijkt op het punt om in slaap te vallen, zijn kin nadert al het witte ding dat op zijn borst hangt.

Of de heren rechters nog andere vragen...?

En op dat moment kijkt de slapende rechter hem recht in de ogen en vraagt: 'Maar was je moeder die dag nu ziek of niet?'

Rare vraag. Verdachte raakt in verwarring. 'Ik dacht van wel, ja die dag was ze ziek, weet het bijna zeker.'

'En je wou toch iets voor haar verjaardag kopen?'

Ja, dat was waar natuurlijk. Een goede zoon kan geen slechte jongen zijn.

'Met een pistool?'

'Was geen pistool, maneer, gewoon speelgoed voor kinderen, gewoon bij Intertoys gekocht. Is niet verboden, maneer.'

'Dus je had wel een pistool, weliswaar een speelgoedding, dat had je dus in je hand? Je bedoelt dit, hè?' De rechter laat een zwart-witfoto zien van een wapen dat er gevaarlijk levensecht uitziet. Moordwapen.

'Maar het was niet echt, dat heb ik al gezegd, maneer.'

Dan merkt verdachte dat het wel erg stil is in de zaal. Hij begrijpt wat hij gezegd heeft.

De hele zaal heeft het verstaan, de rechter, de officier van justitie (altijd een vrouw), de twee gewapende politieagenten (een daarvan een brede blonde vrouw, de ander een grote neger), de altijd zenuwachtige mevrouw van de reclassering die 'een goed woordje' voor hem wilde doen, de advocaat die te laat overeind schiet en zegt: 'Mijn cliënt hoeft verder geen antwoord te geven.'

Stilte.

De advocaat gaat ruisend weer zitten.

De rechter die hem genaaid heeft, veegt zich met dat witte ding de lippen af. Hij vertoont geen spoor van triomf. (Als hij die ooit op straat tegenkomt...)

'Dan is nu het woord aan de officier van justitie. Of wil je zelf nog wat zeggen?'

Voor hij zijn mond kan opendoen, verklaart de advocaat dat zijn cliënt gebruik wil maken van het recht om te zwijgen.

'Dat is dus duidelijk,' zegt de voorzitter, die ook 'president' genoemd wordt.

De officier van justitie gaat staan en glimlacht. Ze heeft

een hoge stem die schril uitschiet als ze een punt wil maken. 'Wettig en overtuigend bewijs' zijn de woorden die steeds weer terugkomen in haar betoog, alsof het een lied is wat die bitch zingt, een wettig en overtuigende songtekst.

Dan mag de advocaat ertegenin. 'Ontoelaatbare methoden. Ontoelaatbare methoden, tot twee keer toe, namelijk van de politie én van de rechtbank, waardoor mijn cliënt in verwarring is gebracht. Ontoelaatbaar én onrechtmatig.'

Je voelt dat hij er zelf geen fuck van gelooft. Haalt de omstandigheden erbij: thuis zieke moeder (hoofdpijn) en werkloze vader (rug). Een ongelukkig gezin, twee broers zijn ook al met justitie 'in aanraking' geweest. Een buurt die minder goed bekendstaat, 'zeg maar rustig probleemwijk'. Kinderen die min of meer vanzelfsprekend en ongemerkt in de kleine criminaliteit terechtkomen.

De rechters horen het onbewogen aan, ze kennen het liedje. Alleen het d-woord ontbreekt, daar durft zelfs deze advocaat niet meer mee aan te komen.

Zoals Ab zich niet om durft te draaien om naar zijn ouders te kijken, die zich daar in de zaal zitten te schamen natuurlijk.

De advocaat gaat ritselend weer zitten. Begint zijn papieren al in te pakken, hopeloos geval, snel vergeten.

Uitspraak over twee weken. Of Abdel daar zelf bij wil zijn?

Advocaat vliegensvlug: 'Mijn cliënt ziet daarvan af.'

Voordat de blonde vrouw en de zwarte politieman hem meenemen vraagt Ab nog: 'Waarom zie ik daarvan af?'

'Om erger te voorkomen.'

Kankerzwartjurken, homo's allemaal. De Hollanders, je kan ze nooit vertrouwen. En het ergst is die advocaat die hem zo slecht verdedigd, ja eigenlijk verraden heeft. Doekoe maken maar er niks voor doen. 'Als ik díé ooit buiten tegenkom, ik ga pissen op zijn tyfuskop.'

De andere mokro's fokken hem nog verder op, zodat er een waar bloedbad beschreven wordt. Die advocaat, die moesten ze eens in een Marokkaanse gevangenis stoppen, diep onder de grond, weet je.

Joop komt naast me staan en fluistert: 'Hij heeft zich gewoon laten naaien, die dombo.'

We draaien ons om, ze hoeven ons gezicht niet te zien.

Ik weet nu zeker dat ik advocaat wil worden. In Amerika is het doodgewoon dat prisoners in hun cel hele studies afmaken. Wie kent de misdaad en de criminelen beter dan iemand die zelf gezeten heeft? Het is een van de vele plannen die ik aan de dominee wil voorleggen. En ik weet zeker: dat gesprek gaat mijn leven veranderen. Meester Ronaldo, raadsheer. Dat zal op mijn kaartje staan: meester Ronaldo, dan de achternaam van mijn moeder (Bakker); daaronder, in schuine letters: raadsheer en advocaat. Zal ik deze sukkels hier nog verdedigen! Zullen ze opkijken als ik in mijn ruisende jurk binnentreed: meester Ronaldo, die krijgt iedereen vrij, kent de onderwereld als de onderkant van zijn voet. Op de publieke tribune elke keer Sandra. Ze huilt soms, niet van verdriet maar omdat ik zo prachtig kan praten.

'Ron!'

'Hè?'

'Geef die tomatenketchup nou eindelijk eens door, ja! Waar zit je met je kop?'

In de rechtszaal. In een rapport over mij stond: verdachte heeft een irreëel toekomstbeeld.

Joop praat.

Een van de redenen waarom hij zo'n goede vriend is: hij praat en je hoeft niet te luisteren, als je niet wil.

Na het eten ruimen wij tweeën de troep in de keuken op. De mokro's en de rest hangen al voor de tv. De voetbalvechter (T-shirt: LIFE SUCKS; Dennis moet daar erg om lachen:

'Mijn vriendin ook!') laat ons zijn handschoenen zien. Zwart met bovenop een tekening van de witte botten die onder je vel zitten, de vingerkootjes enzo. Een wandelende röntgenfoto dus.

'Heel cool, Kevin, maar nu moet je ons met rust laten. Work to do. Bonte avond, weet je wel, ik ben gevraagd voor de hoofdact.'

'Maar ik doe ook mee! Breakdancen.'

'Zo? Gefeliciteerd, man.' Joop drukt hem plechtig de rechter skelethandschoen. 'Misschien moet je die aanhouden als je optreedt.'

'Dat was het idee.'

Als hij weg is, zegt Joop: 'Misschien moeten we hem vragen er ook bij te komen. Breakdancen terwijl de band hamert?'

'Te veel een solist. Gaat alleen voor zichzelf. Wij, wij vormen meer echt een team.'

'Zo is het, gab. En bovendien, die belachelijke handschoenen! Kinderhandschoenen. En daar wil hij mee optreden! Opzichtig. Maar hoewel, het gaat vooral om wie zoiets draagt, hè? Zo is het toch?' Hij legt beide trillende handen breeduit op de papieren voor hem, alsof hij de inhoud nog niet wil onthullen. Bang dat ik er met zijn ideeën vandoor ga. Haalt diep adem: 'Zal ik dan maar wat voorlezen? God, ik doe een moord voor een peuk.'

Hij blijft aarzelen, kijkt naar de bladzijden, prevelt een paar regels en deinst weer terug: 'Voorlezen is misschien niet zo'n goed idee. Dan let ik toch te veel op jouw gezicht... Lees het zelf maar. Doe het rustig, neem de tijd.'

Maar terwijl ik me over de volgekraste bladzijden buig, zie en hoor ik zijn vingertoppen op het tafelblad trommelen. 'Misschien dat het toch beter is als je...'

'Het leidt je af? Goed, ik ga wel even rondlopen.' Hij springt op, ijsbeert met de handen op de rug door de nauwe ruimte tussen eettafel en de glazen deur naar de gang.

Het leidt nog steeds af, toch kan ik de vijf regels voor me ontcijferen:

Ik ben een eenling

Geen mens

Alleen nog een ding

Geluk niet meer dan een herinnering

Aan de straat waar ik speel en zing.

Meteen als ik het papier neerleg, staat hij naast me: 'En?' Zijn vogelnek vlakbij, het oog rooddoorlopen.

'Het is... heel bijzonder, Joop.'

Argwanend: 'Ech?'

'Ik vind het mooi, ja, echt relaxt.'

'Je zit me toch niet te fokken, hè?' Toch neemt ook hij het papier in de hand en draagt de regels voor. De mond, eerst een verbeten streep, ontspant zich. 'Dus het is oké, wat jou betreft?'

'Prachtig, echt. Eerlijk waar.'

Hij leest het nog eens, knikt tevreden. 'Maar zullen ze het nemen?'

'Wel...'

'Nou?'

Gevaar. Red alert.

Hij geeft een daverende klap op de stapel papier. 'Lees het nou eerst helemaal.'

En terwijl een witte schim op de achtergrond heen en weer schiet, verdiep ik me in de blokletters die over het papier schaatsen.

Ik doe er lang over, blader soms terug, vergelijk. Hij moet goed zien hoe ik mijn best doe.

Als ik het laatste blad neerleg, ploft hij op de stoel naast me neer en begint voor ik iets kan zeggen: 'Weet je wat ik zou willen?'

Dennis die net langsloopt, springt er meteen bovenop: 'Een lekker sappig kutje, dat wil ik!'

'Hou je bek of ik duw die kankerkop van je terug in de kut van je moeder.' En weer ter zake: 'Die handschoenen van Kevin, maar dan een heel pak, weet je, zoals wat balletdansers enzo aanhebben. En dat je dan het héle geraamte voor je ziet, alle botjes en beentjes, vingerkootjes, sleutelbeen, ellepijp, strottehoofd, heilig been of hoe dat hondevoer verder allemaal mag heten, knieschijf, knieschijf natuurlijk niet te vergeten. Een wandelend skelet. Zo voor de zaal staan, begrijp je?'

'Er zitten goeie dingen tussen, echt Joop, maar —'

'Weet jij — want jij weet zoveel, je hebt havo: waar kan je zo'n pak kopen, weet jij dat soms?'

'Een feestwinkel? Joop, echt, ik —'

'Een feestwinkel! Een winkel voor feestartikelen. En we hébben het over een feest!' Hij slaat zich voor het hoofd. 'Dat ik daar nou niet eerder aan gedacht heb. Een winkel voor... Bestaan die eigenlijk nog? En hoe komt een van ons in een winkel voor feestartikelen terecht?'

'Ik wil alleen maar zeggen —'

'En dan moet je nog de goeie maat hebben natuurlijk, voor dat pak, anders heb je nog niks. Kan je het alleen als onderbroek gebruiken, bij wijze van spreken. Ik bedoel maar, je kan het dus niet door iemand anders laten kopen. Probleempje van praktische aard: jou laten ze niet met onbemand verlof gaan en mij al helemaal niet. Daar zitten we dan, dus.'

'Ik wou —'

'Zeg nou maar gewoon dat je het helemaal niks vindt. Baggershit, ech drie keer niks. Zo is het toch? Wees eerlijk tegen Joop, deze jongen heb al zoveel stront over zich heen gekregen, d'r kan nog wel een lading bij.'

'Eerlijk Joop...' Ik neem de tijd. Probeer niet te denken aan de slikkende, kauwende zenuwpees die naast me zit.

En opeens zie ik het: 'Weet je wat het is, Joop? Het is gewoon te goed voor ze. Zo goed dat ze het wel *moeten* afkeuren. Ze durven het niet aan.'

'Ech waar? Je zegt het niet omdat —'

'Erewoord. Neem nou het gedicht dat net bovenop lag.'
Ik zoek en vind het gelukkig meteen. 'Schitterend. Prachtig. Wreed. Maar je kan het niet optimistisch noemen.'

'Niet optimistisch noemen...' Hij leest het nog een keer. 'Maar hier, kijk, het eindigt met "ik speel en zing".'

'Dat was vroeger, Joop. Je bedoelt dat je vroeger, toen je nog jong was, toen kon je nog vrolijk zingen en spelen. Nu niet meer. Dat staat er, lees maar.'

Hij leest het over, smakkend. 'Toch mooi dat ík dat geschreven heb, of niet soms?'

'Ik zeg het je eerlijk, Joop, dit is te goed voor een publiek met hoge hoed.'

Hij neemt de regels nog eens in zich op. 'Ik denk... ik denk dat je gelijk heb. Niet optimistisch genoeg, hè. Geen bloemetjes en bijtjes, hè.' Driftig begint hij te zoeken in zijn stapel papieren, een paar vellen zweven zigzag naar de grond, tot hij het eindelijk gevonden heeft:

Het leven is geen grap
Als dieren in gevangenschap
Ik wil vrede vreugde zon
Ik wou dat mijn moeder op bezoek kom.

Ik kijk hem aan en wat ik zie is nieuw en onwaarschijnlijk: de trouwe blik van een hond die op een aai van het baasje wacht. Hij vertrouwt me, ik kan hem maken of breken.

Maar het is veilig in deze jungle een echte gabber of geleidehond te hebben en dus zeg ik, echt eerlijk: 'Al beter. Maar dat laatste rijmt niet mooi, "op bezoek kom". Als we d'r nou eens van maken:

Ik hou van vrede vreugde zonneschijn
Ik wil weer bij mijn moeder zijn.
Of nog beter misschien, wat vind je hiervan:
Ik hou van vrede vreugde zon
Ik wou dat ik weer vrij ademen kon.
Nou?'

'Dat met die moeder vond ik mooier.'

En dus schrijf ik het voor hem op, in blokletters.

Hij kijkt en proeft, een rafelige reiger. Veegt een poot langs zijn snavel. 'Hoe verzin ik het, hè?' En meteen weer onzeker: 'Dus je denkt dat het zo wel po-si-tief genoeg is?'

'Vet positief, Joop, geloof me. Vrede, vreugde, zonneschijn, wat wil een mens nog meer in het leven?'

'Het lijkt wel die zanger, hoe heet-ie ook alweer? Herman van Veen.'

De pedo ziet ons bezig, wacht bij de deur. We wuiven hem weg. Straks zit ik hier nog een lezing over het hotelwezen bij te schaven.

'Dus je denkt ech...?'

We buigen ons als samenzweerders over de volgekraste bladen, op zoek naar andere bruikbare regels.

'"Het water stijgt ons naar de lippen", dat is nog niet af, weet je. Ik kon het rijmwoord niet vinden. Ja, "wippen", maar dat mag natuurlijk niet hè, wat zou mevrouw de burgemeester daar wel niet van denken?' Vette knipoog. Hij geniet.

'Die ijskap, die moet er echt uit, Joop.'

'Maar dat is re... re...'

'De burgemeester en de gemeenteraad zijn hier niet gekomen om te horen dat ze binnenkort allemaal koppie-onder gaan. Dat bewaar je gewoon voor later. Als je eenmaal op het podium staat, kan niemand je nog wat maken.'

En zo is het er opeens, het idee. Het stapt naar voren alsof het al dagenlang beleefd stond te wachten.

Zo simpel dat het wel moet lukken.

Ik vertel het hem, leg het nog een keer uit.

Dolenthousiast, slaat me op de schouder, omhelst me, neemt me op in zijn dampkring van zware shag en zoete wiet. Likt me bijna, als een jong hondje.

'We werken er elke dag een uur of wat aan, als die dombo's naar hun film zitten te kijken, *Scary Movie 6* of 7.'

'Maar we beginnen nu meteen!' Joop is een stout jongetje geworden, de letters dansen over het papier als Mohammed Ali voor hij de beslissende tik uitdeelt. Zo nu en dan schuift hij me een paar regels toe: 'Hier, die moet jij verbeteren. Jij kan zo goed rijmen, net Sinterklaas.' Daar moet hij dan erg om grinniken.

'Weet je,' zegt hij later, 'ik wist niet dat het zo makkelijk was om po-si-tief te zijn. Geur-kleur, lucht-vlucht, zon-balkon, luv-stuff.' Hij slaat dubbel van de lach als een scheermes dat dichtklapt.

De mokro's kijken om, altijd bang dat het over hen gaat. Het is Joop maar.

'Dat laatste zou ik er eerst maar even uit laten, dat luv-stuff.'

'Jaja.'

We werken ongestoord door tot de laatste peukpauze. De twee nieuwe groepsleiders kijken met een half oog toe; kunnen niet wachten tot ze weer voor hun beeldscherm vol cabrio's en andere modellen zitten. En dus kan Joop me iets toestoppen uit zijn huisapotheek: 'Voor mijn beste maat en medewerker, dat ben jij.'

De avond wordt meteen warmer, het gekrijs van de Berbers een natuurlijke melodie. Joop heeft het over collega Herman van Veen. En daar waar de prairie begint, aan de overkant van het balkon, wapperen vlammen, een kampvuur zeker. En daarboven, de lichtpunten van de vliegtuigen die hoog in de hemel hun weg vinden, holle buizen van aluminium en kunststof waarbinnen de gapende passagiers zich volkomen veilig wanen. Ze zien ons niet, ze vermoeden niet eens dat we hier staan. Wij zijn er niet. Misschien zit in een van die lichtende punten de dominee, op weg naar zijn dochter in Canada, ik verzin maar wat.

Hoe zou hij er eigenlijk uitzien, de dominee, als-ie bestond? Grijs haar natuurlijk, want dominees worden stokoud geboren; een jonge dominee heeft geen gezag. Hij rookt pijp. Hij kan goed luisteren; zijn oren vormen twee satellietschotels die elke ondertoon of stembuiging opvangen. Ik kan hem alles vertellen, ook wat er hier op de afdeling gebeurt en wat meestal verborgen blijft. Zijn ogen staan dan op aandacht en als hij merkt hoe moeilijk het voor me is, kijkt hij even de andere kant op. Alles blijft tussen ons, dominee is geen snitch. Een dokter en een dominee hebben hun beroepsgeheim. Hij noemt me soms mijn zoon, niet klef maar volmaakt natuurlijk.

'Ro-nald.'

'Mijn zoon.'

'Rooo-nald?'

'Jaja.'

'Hallo Ronnie, waar zit je toch?'

'Puike pil, Joop.'

'Wat ik je nog vragen wou: waarom doe je zelf niet mee? Jij bent toch zo goed met luv-stuff enzo en nu krijg *ik* alle eer.'

'Daar zit ik niet mee.'

'Maar je zou toch ook iets voor jezelf kunnen bedenken, iedereen doet mee.'

'Ik kan het bedenken, Joop, maar jij kan het veel beter uitvoeren. Jij hebt om maar iets te noemen geen plankenkoorts.'

Daar denkt hij diep over na. En eindelijk: 'Planken die koorts hebben, is dat eigenlijk niet heel *weird*? Planken die rillen van de zenuwen onder onze voeten. Zou je daar niks tegen kunnen doen?'

We kijken elkaar aan, ernstig en bezorgd.

'Planken met koorts. Een podium met verhoging, zeven-endertig acht ofzo. Planken die aan het ijlen slaan.'

En opeens beginnen we te giechelen als twee jonge mei-den, de lach kronkelt door ons heen, het houdt niet meer op.

De anderen komen om ons heen staan, willen meegenie-ten.

Dan klapt een groepsleider in de handen: 'Het is mooi geweest. Sluitingstijd, heren.'

Ik ben de laatste die het balkon verlaat, we nemen iets van de heldere frisheid van buiten mee.

Ik moet Joop nu even loslaten, niet het idee geven dat ik hem een bepaalde kant op duw. Hij moet tijd krijgen om zich de plannen eigen te maken. Hij moet zichzelf zien staan, schijnwerpers, minutenlang applaus alleen voor 'deze jongen'.

Ik wacht, loop wat rond over de afdeling.

Vind zomaar op een lage kast met cd's het boek dat Stan-ley liet zien toen hij net terug was. *Vet vast* is de titel. Op het omslag een foto van een jongen zoals wij allemaal; grijs sportjack, hoodie over zijn hoofd getrokken zodat je nauwe-lijks kan zien is hij wit of zwart of is zijn huid 'lichtgetint'. De pijpen van zijn spijkerbroek slobberen over zijn sport-schoenen en hij loopt, net als ik, alsof hij op weg is ergens naartoe. Maar die wandeling zal nooit lang kunnen duren, want rechts op de foto zie je de deuren die iedere 'gedetineer-de' maar al te goed kent, deuren met een beveiligd kijkgat en een gleuf om iets door te duwen als je niet met de ver-dachte in één ruimte wil staan. Op de voorgrond liggen twee donkere sokken, die moet-ie zeker zelf opruimen. Wel goeie foto eigenlijk, want laat zien hoe de buitenwereld over ons denkt: slungelige schimmen, blik op de grond gericht. Hopeloos geval. Ik blader wat in het boek, op de laatste bladzij heeft iemand iets aangestreept: 'Wij kunnen vanzelfsprekend nooit opboksen tegen zeventien jaar ellende van mishandeling of misbruik. Het is hard werken voor kleine succesjes. Maar dat moeten we wel blijven doen. Want elke jongere die je een nieuwe toekomst kunt geven is er een.' Om tranen in de ogen van te krijgen. Wie heeft er die uitroeptekens bij gezet? Niet een van de jongeren met of zonder nieuwe toekomst. Een groepsleider? De Torkoe leest nooit. Nelson? Sandra?

Maar waarom sta ik de hele tijd met het boek in de hand? Nadenken, Ronnie, helderheid.

Stanley, Stanley was het die ermee aan kwam lopen. Misschien had hij het zelf wel in zijn knalgele SeeBuyFly-tas naar binnen gesmokkeld. Om iets te laten zien.

De foto van het meisje, dát was het.

De foto van de rug van een meisje over haar schrift gebogen.

Ik blader, maar kan haar rug met het doorzichtige hemd nergens terugvinden. Twee, drie keer: ze is uit het boek verdwenen, ze heeft zich 'onttrokken' aan de hitsige blik van de afdeling. En dan nog eens, langs de drie jongens die met hun rug naar de camera op het sportveld staan te peuken (de meest rechtse een spichtige junk met een pet, zou de broer van Joop kunnen zijn), langs de zwarte jongen die vanuit zijn bed naar de televisie ligt te kijken (er hangen wel vijf, zes petten, allemaal blauw), langs de jongen die met zijn trui over zijn hoofd zit te bidden voor een pak melk en een pot pindakaas, langs de lassers in hun veel te grote blauwe pakken en langs de fitness... Maar nergens een 'lichtgetinte' rug.

En dan zie ik opeens het litteken. De kartelrand die overbleef waar een meisje is weggescheurd. Fokking Stanley, het boek is waardeloos geworden.

Toch voel ik me niet triest dat ik haar verloren heb. En ik weet waarom: wij, Joop en ik, wij *doen* iets, we werken aan ons wereldproject. We zijn *bezig* zonder te worden beziggehouden. We hebben een doel. Vast en zeker wordt het een groot succes of misschien een klein, voorbijgaand succesje, maar we moeten ermee doorgaan tot het eind.

Want dit is de eerste dag van alle lange dagen, van al die eindeloze dagen die ik in deze fokking inrichting heb doorgebracht, dat ik me niet te pletter heb verveeld.

Hier

Voor ik naar de klaslokalen kan lopen, hoor ik mijn naam.

Het is Sandra die roept.

Het gaat te vlug, ik krijg geen tijd om een beroep te doen op Joop en z'n apotheek. Ze wil me spreken en ik weet meteen: zal beginnen over mijn houding tegenover de KV, haar nieuwe lievelingscrimineel. Dat we aardig moeten zijn voor een vreemdeling, wie weet bootvluchteling uit arme landen, moederziel alleen in een lekke sloep naar het schandalig rijke Noorden gevlucht, door God en iedereen verlaten en daardoor op drift geraakt. (Maar Joop heeft van groepsleider Kees gehoord dat de KV helemaal niet met de boot gekomen is. Een straalvliegtuig heeft hem op Schiphol neergezet waar hij zoveel kabaal maakte toen de blauw zijn moeders bagage doornam dat ze argwaan kregen. Moord, brand en verkrachting geschreeuwd maar niks hielp, koffers en maag stikvol bolletjes.)

'Ronnie, ik wil je graag even spreken.'

Heeft ze al gezegd.

'Laten we maar even hier gaan zitten.'

En zo kom ik in plaats van in de les — wonder boven wonder gaan die lessen vandaag gewoon door; geen ziekte, studiedag of onttrekking van de docent — tegenover haar in het kantoortje van de groepsleiders terecht. Zij zit met haar gebogen rug naar de computer en rommelt wat in haar kolossale zilveren tas. Ik heb uitzicht op de lege afdeling.

Een afdeling zonder KV. Wat kan ik doen? Sla ik hem in elkaar, heb ik de laatste rest van haar sympathie verloren. Sla ik hem niet in elkaar, verlies ik het respect van de groep.

Nelson zit aan de keukentafel in het bijbeltje te lezen dat hij altijd bij zich draagt, boek dat hij nooit uit krijgt.

Ik heb hier eerder gezeten en toch is het vandaag anders. Er is nu niemand die ziet hoe ik naar Sandra kijk. En daarom kan ik haar beter bestuderen. De lijnen die zich langs haar mondhoeken ingraven, de denkrimpel tussen haar donkere wenkbrauwen. Haar lichaam ademt zoveel stress uit dat het benauwd wordt in deze kleine glazen kooi. Ik bereid me voor op een preek. Ben klaar om op te stappen zodra het gesprek een wending neemt die me niet zint. Ik hoef niet te luisteren en zeker niet naar iemand die zich laat inpalmen door een aalgladde KV.

Ze gooit het papieren zakdoekje weg waarin ze haar neus gesnoten heeft en kijkt me aan of ze mijn aanwezigheid volledig vergeten was. 'Hij is er dus niet meer,' zegt ze met een vermoeid lachje.

De KV? Die is opeens uit onze dampkring verdwenen, witte trui voor altijd afgenokt?

'We weten nu wél hoe hij heet. Lucas Wielinga heet-ie.'

Een Kaapverdiaan met de naam Wielinga? Het moet niet gekker worden.

'Control heeft een bericht gestuurd.' Ze draait zich half om naar het scherm. Haar vinger raakt bijna het glas aan. Ik zie in het kille licht van de computer een nagel waarop alleen wat schilfers rode nagellak zijn achtergebleven. Vroeger verzorgde ze zich tot in de puntjes. Ze laat zich gaan. Ze kan het niet meer aan. Dáár zouden we het over moeten hebben.

Ze leest voor: 'Wat betreft jullie verzoek met betrekking tot de dominee kunnen we u meedelen dat ons uit intern en extern onderzoek is gebleken dat er inderdaad een dergelijk persoon op vrijwillige en onbezoldigde basis aan deze instelling verbonden is geweest, met name ds. Lucas Wielinga. Verder werd ons duidelijk dat er geen belangstelling meer bestond voor deze functionaris. Dientengevolge is het dienstverband in 1997 beëindigd. In de hoop u hiermee enz enz.' Ze draait zich weer helemaal naar mij toe: 'Er was geen vraag meer naar, zodoende.'

De dominee bedoelt ze! Niks geen vrome praatjes over de Kaapverdiaan. Ik ontspan me, dit gaat een heel ander gesprek worden! We kunnen weer praten zoals vroeger, over de mooie tuin van haar zuster die in Dieren ofzo woont waar het altijd zo heerlijk rustig is. Maar ik blijf op mijn hoede.

'Toch,' gaat ze door, 'ik vind het echt lullig voor je. Eerst die psycholoog en nu Lucas Wielinga.' Ze strekt haar armen en rekt haar rug. 'Goed, dat was dus Lucas Wielinga, die onzichtbaar en dus onbereikbaar blijft. Dominees zijn niet zomaar op afroep beschikbaar. Het lijkt me een mooie gelegenheid voor ons, Ronnie, om een extra mentorgesprek in te lassen. We hebben al een hele tijd niet rustig met elkaar kunnen praten, toch?'

Doet ze altijd, Sandra, ze herhaalt steeds je naam. Of ze bang is te vergeten wie ze voor zich heeft. Een extra mentorgesprek. Om mij te troosten? Of omdat ze bang is dat ik anders na zoveel teleurstelling de eerste de beste (de KV) de ribben uit het lijf sla?

Ze kijkt me vriendelijk aan. Ik wacht af. Als er iets is wat ik in deze omgeving heb leren wantrouwen dan is het wel ontspannen vriendelijkheid. Aardigheid is vaak de bode van slecht nieuws.

Ze vraagt heel lief waarover ik eigenlijk met hem wilde spreken, met die dominee Wielinga; en of zijzelf niet kan helpen, in dit geval...

De psieg is weg, de dominee bestaat niet meer, wat heb ik te verliezen nu ik ze allebei kwijt ben? En bovendien, zo dicht in haar nabijheid, het geeft een goed gevoel, iets van vroeger, ons oude persoonlijke contact. Ook al snapt ze er niets van. 'Waarom... zijn we hier?'

'Hoe bedoel je, Ronnie? Hier beneden, hier op *aarde*? Dat is eigenlijk een vraag die een dominee natuurlijk beter kan behandelen dan ik.'

'Ik bedoel *hier*.'

Ja, ze doet echt haar best, Sandra. Ze denkt dat ze iets goed te maken heeft nu de inrichting geen dominee in voorraad blijkt te hebben. Volmaakt Sociaal Wenselijk Gedrag. Ze begint zelfs te vertellen over haar moeder, die lid is van een pinkstergemeente in de Bijlmer, waar ze aan duiveluitdrijving doen. De zilveren tas luistert intussen gapend toe. Veel potjes en witte doosjes met etiket — medicijnen? Zoveel? Duiveluitdrijving? Zouden ze ook mijn vader weg kunnen goochelen?

Ze stopt. 'Ron-nie? Je kan tegen mij alles zeggen, ik ben toch je mentor?'

'Ik bedoelde eigenlijk... Waarom zitten wij veroordeelde jongens hier in deze inrichting, op een afdeling met elf andere veroordeelde jongens? Waarom worden we eigenlijk bij elkaar gestopt?'

Nelson loopt nu wat onrustig over de lege afdeling heen en weer. Het is of hij iets zoekt, zijn lippen bewegen, schokachtige handgebaren die iets uit moeten leggen aan een afwezige toeschouwer.

'Een heel redelijke vraag, Ronnie, echt waar. Daar denk ik zelf ook vaak over na.'

Haar antwoord, haar onzekerheid, geeft mij de moed door te gaan. 'We moeten leren ons te beheersen. Tot tien tellen voor je die klap uitdeelt enzo. Maar hier op de afdeling heerst er maar één recht en dat is het recht van de sterkste. Net als op straat, net als buiten! Is dat niet... raar? En waar praten de jongens over? Drugs en vechten, hoe je met je blote handen kan winnen van iemand die een mes heeft. Eigenlijk lijkt het hier wel een opleiding voor de onderwereld!' Hoe meer ik uitleg, hoe sterker de indruk dat ik tegen een holle tas praat. Toch, het voelt goed met haar alleen te zijn.

Ze zegt, en het is of ze een lesje uit haar hoofd geleerd heeft, dat er drie redenen zijn om mensen op te sluiten. Punt een: je hebt iets verkeerds gedaan en dus moet je straf hebben. Goed voelen dat je fout bent geweest, 'zoals je vader je vroeger opsloot in het toilet of het schuurtje, begrijp je?'

Mijn vader heeft me nooit in de plee opgesloten. En een schuurtje hadden we niet op een bovenhuis. Hij sloeg er meteen op los. Ook als je niks gedaan had, als waarschuwing. Simpel systeem van opvoeding.

Ze telt het op haar vingers af: 'Punt twee: je sluit iemand op, je zet hem vast, omdat je hem dan makkelijker in behandeling kan nemen. Lastig iemand te behandelen die zich voortdurend onttrekt, naar een andere plaats in Nederland vertrekt of het vliegtuig pakt naar de Antillen of z'n oma gaat opzoeken in Marokko. Dat begrijp je?'

Nelson zakt opeens door de knieën en gaat midden in de ruimte voor de keuken op de grond zitten. Vingers in elkaar geklemd, hoofd geheven bidt hij tegen de vlekken van het keukenplafond. Hij doet dat zo overdreven dat het lijkt of hij een rol speelt. Gaat hij de bonte avond gebruiken om op het podium te bidden voor alle zondaars die in de zaal verenigd zijn? Voor Sandra, verwarde, onrustige Sandra? Voor mij? Of zit hij daar te prevelen voor zichzelf, een nieuwe auto, een betere baan? Waar hebben al die mensen het eigenlijk met God over, of is het alleen maar bedelen?

'Volg je me, Ronnie?'

'Dus... de behandeling is eigenlijk het belangrijkste? De gevangenis, die komt er meer toevallig bij?'

'Niet helemaal natuurlijk, maar —'

'Als ik dus zou zeggen: Hier woon ik voortaan, op dit en dit adres in Rotterdam, dan hoef ik niet vast te zitten? En bovendien, dan krijg ik niet voortdurend ongevraagd advies van andere jongens over hoe ik winkels of pompstations moet overvallen enzo?'

Ze zucht. 'Het is ingewikkeld, Ronnie, dat geef ik toe.' Ze snuffelt in haar tas, die groeit terwijl haar handen rondtasten. Vindt een rol pepermunt. 'Jij ook?'

Afleiding. Ik zou ook nog kunnen beginnen over behandelaars die voortdurend op de loop gaan. Ze moeten die psychologen enzo eigenlijk vastzetten. En niet ons. Ik houd m'n mond.

'Begrijp je?' zegt ze en ik heb sterk het idee dat zijzelf ook niet weet hoe ze het gesprek een gezonde draai moet geven.

'Er was nog een derde punt, Sandra.' Als jij mij Ronniet, Sandra ik jou.

'Een derde punt?'

'Je zei dat er drie redenen waren om mensen op te sluiten. Zo begon je.'

Ze kijkt me aan. Even ben ik bang dat ze gaat huilen. Snel zeg ik: 'Toch klopt er iets niet. Je wil iemand behandelen, beter maken of hoe je het ook noemt. En daarom zet je hem vast. Je steelt zijn vrijheid, zo is het toch?'

Ze kijkt om zich heen of ze hulp zoekt. Ziet aan de andere kant hoe Nelson zich in vreemde bochten wringt of hij bezeten wordt door een kwade geest.

'Je veroordeelt hem dus tot de grote verveling. Want zo zie ik het hier, Sandra. Een dag die begint met uitgevallen lesuren. En daarna moet je voortdurend uitkijken dat je geen ruzie krijgt over een te ver uitgestoken elleboog of een lege pot pindakaas. Eigenlijk is dit één grote isoleer, maar dan met elf anderen die elkaar in de weg lopen. Net als die tv-programma's waar tien "kandidaten" zich vrijwillig laten opsluiten; isoleer een stel mensen, zet ze boven op elkaar en vanzelf breekt de pleuris uit. Realityshow, zo heet dat toch? Hier is het ook elke dag realityshow. En camera's staan hier ook overal. Maar het verschil is dat die kandidaten van de tv altijd weg kunnen lopen. En als ze het volhouden krijgen ze een miljoen. Eigenlijk zou iedereen die hier een jaar gezeten heeft ook een miljoen moeten krijgen. Omdat hij het overleefd heeft.' Soms denk ik dat ze je eigenlijk met dat opsluiten gek willen maken. Het vliegtuig gaat opstijgen. Alle passagiers doen of hun neus bloedt, terwijl ze maar één ding willen: het uitschreeuwen, allemaal tegelijk en door elkaar, van pure doodsangst. Zo is het gesteld met ons, dominee. Maar dat kan ik natuurlijk niet tegen Sandra zeggen.

'Ik weet het weer!'

'Wat, Sandra, wat?' Geef eens antwoord. Ik heb hier zo lang over nagedacht.

'De derde reden waarom jullie opgesloten worden. Punt drie. Je houdt iemand vast als hij een gevaar vormt voor zichzelf of anderen.'

'Een gevaar voor zichzelf?'

'Dat hij zichzelf iets aandoet, begrijp je? Je verminken, zoals bij de meiden vaak voorkomt. Zelfmoordpogingen ook. Je weet toch, wie de isoleer in moet, krijgt "scheurkleren" aan? Om die reden. Bij de meiden moeten ze zelfs eerst de stalen beugels uit hun bh halen. Heb ik zo een antwoord gegeven op al je vragen, Ronnie?' Er beeft iets in haar keel. Geen tranen, alsjeblieft, Sandra.

'Wel...'

'Zeg het maar. Je kunt alles —'

'Niet echt. Niet helemaal.'

'Je denkt te veel na, Ronnie.'

'Dat is geen antwoord.'

'Nee, dat is geen antwoord.'

We zien hoe Nelson opstaat, verbazend lenig overeind komt, het stof van zijn billen klopt en wegloopt. In onze richting.

Voor het glas, zijn hand al op de deurknop, blijft hij staan. Kijkt ons aan. Onduidelijk wie wie beloert. Opent de deur. 'Ik kwam even...'

'Doe maar.'

Hij rommelt wat in een kast en haalt een puzzelboekje tevoorschijn. Zwaait ermee en verdwijnt tevreden naar de bank voor de televisie.

'Wel...'

Gaat ze nu het gesprek beëindigen? Een paar laatste opbeurende woorden die iedereen meekrijgt en dan kan dit 'extra mentorgesprek' genoteerd worden in de boeken.

'Het probleem, Ronnie, is...' Ze kijkt mij niet aan. Zoekt de woorden in de zilveren tas. 'Het probleem is dat ik het zelf ook allemaal niet meer weet. Ik heb... Vorige week ben ik naar een studiedag geweest, waar allemaal mensen komen die in het vak zitten. Het was...'

Ik kan haar gezicht niet zien. Ze wil niet dat ik zie hoe ze worstelt met de woorden. 'En wat me opviel, Ronnie — en ik vertel het omdat ik dit met je wil delen, met jou omdat je zo veel over dit soort dingen nadenkt, ik zal eerlijk zijn...'

Dit dan, is niet het eind maar het begin van een echt gesprek.

'Wat me opviel, wat ik voelde, en ik niet alleen, was dat er zo kil over jullie gepraat werd. Het was niet een soort... gezelligheidsbijeenkomst met allerlei mensen die je kent, zoals meestal. Je leert wel wat soms, maar in werkelijkheid is het vooral om wat bij te praten enzo. Maar deze keer... De maatschappij is veranderd, ja, dat zei iedereen. Hoe moet ik het uitdrukken?'

Nelson loopt naar de deur die ons met de gang en de andere afdelingen verbindt. Hij laat de Torkoe binnen. De Torkoe zien we niet vaak meer nu hij tot hoofd beveiliging voor de feestavond is benoemd. Komt zo nu en dan even langs op de afdeling en dat is het. Te druk. Verantwoordelijkheid. Geen tijd voor uitstapjes naar de gymzaal waar ik mijn woede mag laten uitrazen.

'Het begon ermee dat ze een professor hadden uitgenodigd die vaak in de krant staat. Ontwikkelingspsycholoog. Bloot hoofd met een krans van pluishaar. Eigenwijze kop, clevere ogen, zo keek hij de zaal in. Geen gewoon verhaal met schema's en statistieken, Powerpoint, heel geleerd maar ook stomvervelend. Nee hij, die man dus, wilde ons uitdagen, dat merkte je meteen. Hij begon al met: "U hoeft niks op te schrijven of aantekeningen te maken. Ik ben gekomen om u te laten nadenken. Meer niet."

Niet één keer heeft hij het woord "jongere" in de mond genomen. Of "crimineel". Hij had het de hele tijd over "moreel gehandicapten", "moreel gehandicapten" dit, "moreel gehandicapten" dat, alsof jullie een been of ander lichaamsdeel missen. "Moreel gehandicapten" tot je er gek van werd — en dat was precies zijn bedoeling. Want wat verklaarde deze topdeskundige? Dat al die behandelingen eigenlijk bullshit waren, van Glenn Mills tot en met de therapieën waarbij de "moreel gehandicapte patiënt"' — ze deed het voor — 'een hand voor zijn ogen moet houden, heel hard aan de traumatische ervaring moet denken en dan de hand wegtrekken. Als je dat maar vaak genoeg doet, trekt je hand ook het trauma met alle onverwerkte agressie weg. De handicap verdwijnt vanzelf. Het heet —' Ze gooit het hoofd in de nek en begint schel te lachen. Ik schrik en kijk naar Nelson en de Torkoe, maar die zijn in zo'n ernstig gesprek dat ze niets doorhebben, gelukkig. Ik wil me niet schamen voor Sandra.

'Het heet,' gaat ze verder als ze zich weer in de hand heeft, 'EMDR. Geen idee wat het betekent. Geeft niet, als het maar een afkorting heeft, dat is altijd het belangrijkste hier. Wat geen afkorting heeft, telt niet. De professor moest er niets van hebben. En van de andere "behandelmethoden" ook niet. Hij liep weg van zijn preekstoel, ging recht voor de zaal staan en zei: "Dames en heren, u allemaal bent bekend, wat voor opleiding u ook ooit gevolgd hebt, met het principe van de ontwikkelingspsychologie. Volgens vrijwel alle psychologen wordt het menselijk geweten gevormd in de allervroegste levensjaren. Sommigen leggen de grens bij het tweede of derde levensjaar, anderen iets later. Maar niet véél later, acht jaar is de absolute grens. Dat is de periode dat een kind zich moet hechten, leren vertrouwen op anderen. Warmte, bescherming. Ontbreken die warmte en bescherming in de eerste levensjaren..." En op dat punt hield hij zijn mond.

Hij bleef ons aankijken, met zijn pientere oogjes, en wachtte tot de zaal onrustig werd. Zo ongedurig dat hij de microfoon moest pakken om erbovenuit te komen. "Begrijpt u wel wat dat betekent, lieve dames en serieuze heren?" Hij bleef ons uitdagend aanstaren en vatte toen de stilte samen: "Een geweten of niet, het wordt in de vroegste jaren van iemands leven beslist. Dus alles wat er daarna gebeurt om dat geweten te vormen of aan te praten, is verloren moeite. Totaal verspilde energie. En daaruit volgt dat we net zo goed elke vorm van behandeling of therapie in jeugdgevangenissen kunnen opheffen. En misschien in één moeite door die jeugdgevangenissen zelf ook, want het zijn niet de fraaiste dingen die zulke jongens daar van elkaar leren. Kortom, een gigantische kostenbesparing. Weet u hoeveel een moreel gehandicapte in een jeugdgevangenis de staat per jaar kost?

Honderdduizend euro, dames en heren. Een ton per jaar! Denk maar eens aan de huisvesting, voeding, vakdocenten, groepsleiders en" — hij sprak het woord uit of het om iets heel vies ging — "psychologen. En de bewaking niet te vergeten, dat vooral niet!" Wat denk je wel niet dat het kost om dag in dag uit Control draaiend te houden?'

Gaat het dan allemaal alleen maar om geld?

'Maar wat is dán de oplossing, Sandra?'

'Goeie vraag.' En ze gaat door: 'Weet je, Ronnie, als je hier komt werken, ben je nog vol idealisme enzo. Maar dan ga je langzamerhand de patronen zien en daar word je niet vrolijk van. Niet vrolijker. Vader die slaat — zoon slaat later zijn eigen kind. Moeder depressief, dochter nog depressiever. Ouders aan de drugs, kinderen aan de drugs. Het is allemaal zo...' Ze kijkt me aan met die grote ogen, hulpeloos verward, het lijkt wel of ík de dominee ben: 'Zo verdomd voorspelbaar allemaal. Cirkels zijn het, gesloten kringen, waarin ouders en kinderen ronddraaien, ze komen er niet uit, de tirannie van de herhaling, ze kunnen er niet aan ontsnappen, nooit, begrijp je, het is een gesloten systeem waar wij niet in kunnen komen. En dan kan ik m'n tong lam praten, en de behandelcoördinator, en de ene psycholoog na de andere enzovoort enzovoort. Maar het blijft een aaneengesloten keten van herhalingen.'

De oude Sandra, die praatte zo niet. Er is iets kapotgesprongen. Ik ben bang en toch vraag ik of er dan helemaal geen hoop is.

Ze zucht. 'Wij vroegen het aan die professor, die met het pluishaar. Krabt die man zich op zijn hoofd en vertelt dat in Amerika omstreeks 1990 de criminaliteit in de getto's van de grote steden opeens dramatisch begon te dalen. Heel vreemd, want de deskundigen hadden juist een enorme stijging voorspeld. Maar nee hoor, het leek wel of er minder misdadigers werden geboren. En dat was exact wat er gebeurd was! Een of andere socioloog ontdekte dat het Amerikaanse Hoogste Gerechtshof precies twaalf jaar eerder een belangrijk besluit had genomen. Een arme zwarte vrouw die zwanger was van haar zoveelste kind eiste het recht op abortus en ze kreeg het! Dus voortaan konden alle vrouwen uit arme, gewelddadige buurten die zwanger raakten van een kind dat ze onmogelijk konden verzorgen omdat ze geen vaste partner hadden en de hele dag moesten werken, tienermoeders vooral ook, dat kind laten... weghalen. Waarmee dat kind een ellendig leven bespaard werd, want wie in zo'n buurt geboren werd... Begrijp je het?'

'Jaja.'

'Het is de realiteit.'

'Jaja, ik begrijp het.'

'Maar je begrijpt ook wat het betekent?' vroeg ze nog eens met een onbegrijpelijk enthousiasme.

'Jaja.'

'Ik praat dus geen wartaal?'

'Neenee.'

Stilte. Van diep uit de buik van het gebouw kwam het bonken van een bal tegen een muur.

'Wat is er Ronnie, je kijkt zo...'

Ze willen ons weg hebben. Een vroege abortus (of een verlate desnoods) voor iedereen die er niet in geslaagd was zich de eerste drie of acht jaar te hechten. Opgeruimd staat netjes. Een kleine ingreep, zo'n patiënt voelt het niet eens, zodat onze straten niet langer onveilig worden gemaakt door moreel gehandicapten. Gehandicapt, maar zonder dat je het altijd meteen aan de buitenkant ziet, en daardoor des te hinderlijker.

'Je kijkt zo... zo vreemd. Ik vond het ook wel een kil en akelig verhaal en iemand, een gereformeerde arts ofzo werd zo kwaad dat hij "nazi-ideeën!" riep. Maar de geleerde bleef glimlachen, hij had zijn effect bereikt. Iemand anders vroeg nog: hebben al die therapieën dan echt geen enkel nut? Professor vond van niet. Of toch wel iets: de patiënt krijgt aandacht, dat wel. Je moest het vergelijken, zei hij, met inpraten op iemand die vergaat van de kiespijn. Rustig praten verlicht de pijn, maakt iemand rustig. Aandacht streelt; positieve aandacht, negatieve aandacht, maakt niet uit. Dat weten we toch allemaal uit ervaring! Maar — en daarvoor had professor geen microfoon nodig: "Die kies blijft evengoed ontstoken!" Al die troostwoorden veranderen helemaal niks aan de realiteit, het was feitelijk niet meer dan humanistisch gezever of "als u een wat technischer term wilt" — hoe maakte hij het ook alweer? — niet meer dan *ruis*, Ronnie.'

Een ontstoken kies, dat ben ik voor haar.

Zo nu en dan ruist ze wat tegen mij, daarmee moet ik tevreden zijn.

Meer niet.

De Torkoe klopt beleefd op de glazen deur.

En komt binnen: 'Hoe gaat het hier?'

'Goedgoed,' liegt Sandra.

'Mooi. Wij lopen nog wat dingetjes op de afdeling na.' Hij wil zich al omdraaien. 'Ik stoorde toch niet?'

'Neenee.' En met haar onschuldigste glimlach: 'We waren eigenlijk al klaar, niet Ronnie?'

Ik sta op.

Mijn hand grijpt de rand van het bureau.

'Ronnie, wat —'

'Iets te snel opgestaan, denk ik. Het is alweer over.'

De Torkoe heeft niks gemerkt.

Sandra heeft het over hoge bloeddruk controleren. Want ook haar moeder... De moeder die de duivel laat uitdrijven. Misschien moet ik een keer met haar mee naar zo'n bijeenkomst in de Bijlmer. Die mensen geloven nog dat je het kwade bloed kwijt kan raken.

Zo mag het gesprek niet eindigen, dit kan niet waar zijn.

'Sandra?'

'Ja?' Het klinkt al ongeduldig.

Zo mag het niet aflopen, er is zoveel meer. Ik wacht tot de Torkoe met een hand vol papieren het kantoortje verlaat.

'Ik...'

'Zeg het maar, Ronnie.'

'Is dan alles... voorbij?'

'Ik begrijp niet...'

Maar ik zie aan de diepe rimpel die haar gezicht in tweeën splijt dat ze precies weet wat ik bedoel. 'Wat er tussen ons was.'

'Wat er tussen ons was?'

'Tussen jou en mij, Sandra.'

'Maar wás er dan iets tussen ons, Ronnie? Ik heb toch altijd een goede band met jou gehad, was tenslotte je mentor. Redelijk goede band. Ik vond het niet altijd... prettig toen je zo raar jaloers ging doen alsof ik met niemand anders dan met jou mocht praten, dat vond ik vervelend, ja. Maar verder gedroeg je je altijd rustig. Te rustig misschien, daar klaagden de anderen weleens over. Ik heb nooit op jullie neergekeken, nooit. Dat weet je. Zo ben ik niet opgevoed. Ieder mens met respect benaderen, zei mijn moeder altijd, het zijn allemaal ooit kinderen geweest, zei ze. Maar we moeten het wel zakelijk houden.'

Ze denkt na, kijkt me nog eens aan. Het lijkt of nu pas iets van wat ik bedoelde tot haar doordringt. Ze controleert of de Torkoe en Nelson nog binnen bereik zijn. Besluit dan, langzaam en nadrukkelijk: 'Ik werk hier. Ronnie. Je kan je beter geen illusies maken.' Zelfs elk spoor van Sociaal Wenselijk Gedrag is nu uit haar stem verdwenen.

Ik draai me snel om, wil niet mijn gezicht laten zien. En ik sta al bij de deur als ze me roept. Dus toch?

'Je hoeft niet meer naar de klas hoor. Je mag wel hier blijven.' En vlug, omdat ze ziet dat ik weer wil gaan zitten naast de zilveren tas: 'Op de afdeling, bedoel ik. Ze komen toch zo terug.'

Ik ga aan de grote eettafel zitten, met mijn rug naar het glazen kantoor, en probeer me te concentreren op *De kleine geschiedenis van bijna alles*.

Het lukt niet meer dan een paar regels achter elkaar te lezen. Ze willen niet echt een verband vormen. Ze gedragen zich als hangjongeren.

Ben ik daarom enig kind gebleven?

Bij het raam controleren de Torkoe en Nelson alle sluitingen.

Ze merken ons niet eens op.

Een rotte kies, een hopeloos verrotte kies.

Ik kijk om mij heen en het lijkt of de anderen al zijn weggevoerd, voorgoed. Ze hebben mij vergeten, of het ergste geval voor het laatst bewaard.

Nelson ligt languit met zijn oor op een buis alsof hij de klopsignalen wil achterhalen die 's nachts worden uitgewisseld.

Nooit eerder heb ik me zo overbodig gevoeld.

Zouden wij daarom zoveel lawaai maken, Joop, de mokro's, Brian, Kevin, Dennis en ik, omdat we anders niet bestaan?

Ik kan er met niemand over praten, ook met Joop niet. Hij zou het niet begrijpen, en als hij het wel doorhad iets onherstelbaars doen. Zichzelf in brand steken bijvoorbeeld.

De droom

Hamid is terug!

En meteen komen de verhalen. 'Elke dag spacen, weet je wel, en als je dan een hele week skaffa bent, het lijkt wel of je al in de hemel woont. Overal kleuren en wachters die je lachend doorlaten en vrouwen doen nooit moeilijk daar, weet je. Donzen dekbedden, marmeren badkamers, gouden kranen. Nooit meer oorlog, overal vrienden van vroeger en vandaag.' En hij kijkt je aan met de trouwe blik van de geboren leugenaar.

'Maar hoe heb je dat dan gefixt, Hamid, toen je hier binnenkwam met je lijf vol dope? Hebben ze je niet een urinecontrole —'

'Goed dat je het vraagt, bradda, daar hebben wij mokro's een tovermiddel voor gevonden. Je moet gewoon langs de rand van een stuk zeep pissen, begint de hele handel meteen te schuimen en te sissen. Niks meer te zien, honderd procent clean en oké. Woelah, zelfs geen huishoudbacillen! Waardeloos monster dus, loop maar door Hamid, zelfs geen spatje alcohol in je bloed. "Alcohol maneer, ik, een vrome moslim?" Wij zijn vet slim, weet je, ons pakken ze nooit als we niet willen. Ik, ik ben gewoon uit vrije wil teruggekomen, weet je, het ging me vervelen thuis, die vrouwen al die tijd om je heen, van Hamid-wil-je-dat, Hamid-zullen-we-dat-voor-je-koken. Je voelt je net een gevangene in je eigen huis, weet je.'

Hij vertelt het hele verhaal aan alle jongens van de afdeling, tot aan de pedo toe, die maar wat knikt en slikt en dolblij is dat iemand hem ziet staan.

Stanley moet hij vier keer de truc met die zeep uitleggen. 'Maar ik dacht als ze je laten pissen dat je dan je andere hand op je rug moest leggen, doen ze bij mij altijd.' Hij zet er zijn gele Schiphol-tas voor neer en doet het voor: 'Hoe kan je dan én die zeep én je ding vasthouden met één hand?'

'Daar hebben wij onze handgrepen voor.'

Stanley schudt zijn hoofd: 'Bij mij bleven ze d'r bij staan.'

'Gaan we bijdehand doen?'

'Toch —'

'Wij Marokkanen zijn anders gebouwd, weet je. Wij zijn eigenlijk gebouwd om dat soort controles te ontduiken, weet je. Anders gebouwd en daarom houden alle Hollandse smatjes ook zoveel van ons!'

De andere mokro's lachen zich wild, ze zijn dolgelukkig dat hun leider terug is.

Stanley pakt zijn tas weer op en kruist over de afdeling of hij schelpen zoekt, hoofdschuddend.

Alles weer zoals vroeger, wat goed is en klote tegelijk want de KV zit natuurlijk weer met Sandra te slijmen. Giechelen en grinniken, iemand — de Torkoe, maar die heeft het te druk met zijn beveiligingscommissie — moet haar waarschuwen dat ze 'de vereiste afstand tot de gedetineerde niet in acht neemt' ofzo. Joop komt terug van beneden, aan zijn springende passen zie ik al dat hij geslaagd is. Alles hebben ze geslikt! Vonden het prachtig, ruw-eerlijk en toch ontroerend. 'De commissie kwam woorden tekort, man, ech. Een ware dichter! Een ware dichter zomaar in ons midden! Daar zouden burgemeester, wethouder en al die andere hoge hoeden van opkijken. Misschien zelfs een cd'tje of dvd van maken, naar platenmaatschappij opsturen, die zitten te springen om jong talent. Joop de Dope op nummer acht met stip binnengekomen, Joop de Dope op nummer vier, Joop de Dope gaat door het hele land optreden, een ex-gedetineerde, man, een vroegere bajesklant, Joop de Dope on top of zie world! Wat een talent heeft die vent. Hé, hoor je dat, wat een talent heeft die vent: dat rijmt, zie je wel, alles klopt als een zwerende vinger! Een sieraad voor de inrichting, zo noemden ze me, ech waar. Man, ze konden gewoon niet meer ophouden, daarom bleef ik ook zo lang weg, de hemel in geprezen, wat zeg ik: hoger dan de hemel!'

En natuurlijk moest en zou de feestavond daarmee afsluiten, knallende uitsmijter, onvergetelijk feest van verbroedering tussen gemeenschap en uitschot, hoezee!

'Ze zijn er dus in getrapt?'

'In getrapt, in getrapt, het is geen hoop stront. Goud, meneer, gouden cd's. Of platina voor mijn part.'

Joop stuitert zo nog een tijd door, ik vraag: 'En die negers die je zouden begeleiden?'

'Geweldige gozers, kan niet anders zeggen. Nee, die gaan er echt helemaal honderd procent voor.'

'Maar weten ze verder ook...?'

'Ik heb ze een melodietje opgegeven, daar moeten ze het maar mee doen. Zolang ze wat op hun trommels en gitaar kunnen rammen vinden ze alles allang best. Het enige wat nog wat troubles geeft is —'

'Ja?'

'De naam. We moeten een naam hebben. Wie geen naam heb, bestaat niet. Alleen als je een naam heb, kan je ech naam maken. Zo werkt het in de wereld van de grote platenmaatschappijen. Wat dacht je van' — de plooien in zijn broodmagere gezicht worden nog dieper — 'wacht even.' Hij sluit de ogen, volledige concentratie, zijn handen tasten blind voor zich uit. Dan steekt hij een vinger op: 'Ik heb het, meester.

Wat denk je van... Joop zie Dope and his Freedom Fuckers?'

Opeens staat hij stil.

De anderen worden nog door Hamid betoverd met een verhaal dat steeds meer fantastische details krijgt, het verslag van een ontdekkingsreis door een wereld waarin elke wens zonder vragen vervuld wordt. Zwevende bedden, alleen het vliegend tapijt ontbreekt nog.

Joop staart naar de sukkels die al die onzin slikken en fluistert: 'Ik hoorde nog iets heel raars van die negers. Iets... ongelooflijks. Fucking madness.'

Hij pauzeert, laat mij hengelen.

'Het is niet meer dan een... gerucht, hoor. Een ge-rucht. Raar woord eigenlijk, of het vies ruikt.'

'Jaja, Joop, zeg het nou maar.'

'In feite is het nog diep geheim, top secret, man. Maar omdat jij mij goed geholpen heb...'

'Jaja. Ik ga geloof ik maar.'

'Goed.' Zijn snavel duikt bijna in mijn oor. 'Je weet nog die speciale opsporingsdienst, die hier ook was, met een hond die langs de plinten liep te snuffelen?'

Geen idee waar hij het over heeft.

'Ze weten nu zeker, ze hebben het wettig en overtuigd bewijs gevonden wie de hoofdapotheker is.'

'En?'

'Je raadt het nooit!'

'Waarom zeg je het niet meteen als ik het toch niet —'

'Het is ech niet te geloven. Je gelooft je ogen en oren niet.'

'De dominee?'

'Dominee? Hoe kom je daar nou bij? Wat heeft die er nou mee te maken?' Hij maakt een toeter van zijn hand, tettert: 'Is er soms een dominee in de zaal?' Daar moet hij vreselijk om lachen. De mokro's kijken even onze kant op. Wat ze zien bevestigt hun ideeën over het verstand van Joop.

'Kom op, Joop.'

'Wel,' zegt hij, argwanend om zich heen loerend, 'ik vermoedde het om zo te zeggen al langer. Een hond herkent een hond. Maar nu is dus het wettig en overtuigd bewijs geleverd.' Hij giechelt van binnenpret.

'Zeg het nu maar.'

Vandaag is hij stoned door het succes.

'Nog één keer raden, Ronnie, doe niet zo flauw, dude. Maar ik zeg het je van tevoren: jij zal paf staan. Pal achteroverslaan.' En hij wrijft de palmen van zijn bleke handen grinnikend langs elkaar. 'Maar nog één keer raden. Kom op, jij die zoveel geleerd heb...'

'Nelson.'

'Nelson? Maar die is toch gelovig enzo? Die heeft toch helemaal geen dope nodig? Nee hoor, het is een veel grotere vis. Het is...' Hij houdt zijn hand achter zijn oorschelp of hij ergens een trom hoort rommelen. 'Het is... het is... our one and only *psieg*,' spuugt hij over mijn schone sweatshirt.

'Welke psieg, Joop?'

'Dé psieg.'

'Er zijn er twee, Joop, op z'n minst twee of drie. Heeft hij lichtblauwe ogen, Joop, die dwars door je heen kijken?'

'Nou vraag je me wat...'

'Denk nou even na, Joop, het is belangrijk. Heeft hij heel lichte ogen of is het de andere, die jou toen je wegging de boks gaf?'

Hij haalt zijn schouders op, verliest zijn belangstelling nu het te ingewikkeld wordt. 'Ik weet alleen: die ze gepakt hebben, die deed het uit i-de-a-lis-me geloof ik.'

'Een idealist?'

'Zoiets ja.'

'Dat zijn de ergste!' Ik sla de hand voor mijn mond. Vaste uitspraak van mijn vader!

'Denk je dat ik dit in mijn showtje kan verwerken? Of is het niet opbouwend genoeg? Wat vind jij?'

Waarschijnlijk heeft hij het hele verhaal zelf verzonnen. Of twee berichten aan elkaar geplakt. Of het is hem aan komen waaien in deze algemene sfeer van onrust en opwinding. Achter het stuur van Control is een dronken robot gaan zitten. Het luchtschip kantelt, het kompas is al weken kapot. We voelen het allemaal, de duizelige schommelingen, je hoort het in de stem van Sandra, je merkt het aan de zwijgzaamheid van de Torkoe. Er gebeuren dingen die geen mens meer kan overzien. En ikzelf, ik verbeeld me dat ik rustig ben en toch holt mijn hartslag.

Ondertussen ratelt Joop door over de drie meisjes op kittige hakjes die hij in de gang is tegengekomen. Kwamen huilend uit de zaal waar de commissie zitting hield. Omdat ze afgewezen waren? Juist niet. Ze jankten omdat ze zo mooi gezongen hadden en ook de voorzitter pakte zijn witte zakdoek en iedereen, zelfs de vent met de vlinderdas die de hele tijd onverschillig zat te kijken.

Toch, het was bloedlink, gisteren of eergisteren (daar wou hij vanaf wezen) eentje afgewezen, hysterische huilbui, ze hadden haar in de isoleer moeten stoppen. 'Ech waar, zo waar als ik hier sta. De waanzin giert door de kieren, zo is het toch? Misschien moet ik dat er ook nog in verwerken, al dreigt het dan wat aan de lange kant te worden. Toch, als slotnummer? Een nummer dat als het ware' — hij spreidt de armen wijd — 'ons hele leven hier, het bestaan, het heelal moet samenvatten. Dat vind jij toch ook?'

Ik probeer niet te kijken naar de hoek waar Sandra en de KV zitten te smoezen, hun overdreven gelach niet te horen. Ze doet dit omdat het haar werk is, sociaal wenselijk gedrag, alweer. Ik durf haar niet in de ogen te kijken, herinnert ze zich nog íéts van dat 'extra mentorgesprek'? Beter van niet.

Joop is alweer boven op een ander onderwerp terechtgekomen. Het is een film die hij gezien heeft, titel kwijt, naam hoofdrolspeler ook, maar verder onvergetelijk. In ieder geval het begin, dat veel beter bleek dan de rest, een of ander dom spionageverhaal. 'Het begint dus zo: een man op een kantoor, het speelt in een kantoorgebouw, en die man komt met een plastic bekertje koffie terug van de automaat.' Hij doet het voor, zijn arm groeit als hij het nadoet, gloeiend bekertje in de holte van zijn hand.

'Dat zet hij dus neer, vlak bij de computer waarmee hij bezig is. Bij het toetsenbord. Man gaat zitten, draait zijn stoel zodat hij recht voor het scherm zit en maakt daarbij de een of andere ongewilde beweging waardoor het bekertje oeps! over de toetsen valt. Toetsen, zo heet dat toch, of is dat alleen bij een piano? Man probeert nog met zijn zakdoek het vocht op te zuigen, maar te laat. Het stroomt al tussen de toetsen door en is niet meer te stuiten. Zo gaat dat. Raar woord hè, toetsenbord.

Affijn, man geeft het op en concentreert zich weer op het beeldscherm, zo heet dat toch? Ook al zo'n rare uitdrukking. Een beeldscherm is toch niet van linnen of katoen ofzo? Maar goed, hij staart naar dat scherm. Niks aan de hand maar opeens begint in een hoek van het scherm het beeld af te brokkelen. Het... smelt weg, zo moet je het zien. Niet floep! in één keer pleite maar meer als een... als een... tapijt dat wordt opgerold. Hoe dan ook, na een halve minuut is het scherm helemaal leeg. Grijs.

Man hamert wat op een paar toetsen, vraagt aan collega's of zij ook, misschien virus? Die zien er soms zo uit. Maar verder niemand die ook maar iets. En stoor me niet.

Terwijl zijn eigen computer nu met een droge klik in slaap valt. Dood. Hij rammelt eraan, probeert het ding op te tillen — niks.

Man kijkt om zich heen, ziet al zijn collega's voor hun scherm gebogen zitten, grote zaal, iedereen geconcentreerd aan het werk en dan begint aan de andere kant van de zaal, bij de deur dus, een neonlamp te knipperen, je kent dat wel. Hinderlijk te knipperen of hij een vuiltje in zijn oog heeft en dan valt hij uit. Andere lampen volgen en binnen de kortste keren zit de hele afdeling zonder licht!'

Joop houdt zijn hand omhoog alsof hij commentaar wil voorkomen, doet een stap terug en kondigt aan: 'Andere camera-instelling. We zien het kantoorgebouw, een joekel van een wolkenkrabber, en in het midden daarvan, tussen al die verlichte verdiepingen, is één etage dood – je ziet nog net dat daar het laatste licht dooft. Vlak daaronder: ook hele slinger lampen uit, een voor een. Zo verovert het zwart op zijn dooie gemak de hele wolkenkrabber, verdieping na verdieping na verdieping, ze moeten er allemaal aan geloven! En je snapt het al, daarna komen de wolkenkrabbers die eromheen staan aan de beurt. Heart of the city, downtown L.A. morsdood. En geleidelijk zie je – we zitten nu al boven de stad – dat het verkeer begint te aarzelen, het dunt vanzelf uit. Stoplichten werken niet meer natuurlijk, geen mens waagt zich op straat en na een paar minuten is er al in de verre omtrek geen licht meer te zien. Black out! Nog wat vliegtuigen zwerven zoekend rond de dode stad maar kunnen nergens landen, Control is uitgevallen en onbereikbaar. Dan verdwijnen ook die vliegtuigen en helikopters alsof ze vluchten van de plaats des onheils, begrijp je? Er blijft nog één lichtbaken in de verte signalen uitzenden, maar die houdt het in zijn eentje ook niet vol natuurlijk. Zwaait nog één keer, net of het zichzelf uitwist. Finito. De prins der duisternis heeft bezit van de stad genomen.

Publiek in de zaal begint te klappen.'

'Hoe ging het verder?'

'Geen idee.' Hij aarzelt. 'Misschien was het ook wel een reclamefilmpje. Maar waarvoor dan hè, waarvoor? Niet voor computers. Niet voor gloeilampen. Niet voor energiebesparing, denk ik. Vreemd.' Zijn nagels krassen over de hoofdhuid maar vinden alleen roos.

'Toch een mooi verhaal, Joop.'

'Maar het mooiste komt nog! Dat heb ik zelf meegemaakt!'

'Met een koffiebekertje?'

'Dat niet, niet met een koffiebekertje, je moet wel luisteren natuurlijk. Heb ik je weleens verteld dat ik in een fabriek werkte, ooit? Nee? Elektra. Onderhoudsmonteur van de elektra enzo. Weet je, die feestavond met alles eromheen, het maakt zoveel los hè. Alsof we onder stroom staan, al die herinneringen enzo. Eigenlijk heb ik bestwel al een rijk leven gehad voor zo'n arme jongen.' Grijns: 'Maar dat is weer een ander verhaal. Waar waren we, dude?'

'Fabriek. Elektra.'

'Juist. Als ik jou niet had om alles te onthouden...' Hij buigt zich voorover, loert over mijn schouder. 'Nu moet je weten, élk huis, élk bedrijf, iedere instelling, iedere fabriek heeft een kastje. Het zenuwcentrum. Als je het kastje weet te vinden...' En hij begint een lang verhaal over de fabriek waar hij werkte, technische problemen, technische problemen die kwamen en gingen naar ze zin hadden, 'volgens mij was het meer psychisch van aard'. Toch, een drastische ingreep leek meer dan noodzakelijk en voor dat karwei was hij, juist hij, leerling-elektrotechnicus, uitgezocht. 'Het was niet ongevaarlijk, moet je weten.'

Affijn. Hij vindt het kastje. Het kastje is zo gevonden, dat is de moeilijkheid niet. Maakt het open: een kluwen van draden in alle kleuren van de regenboog. Hij kijkt, duwt opzij, schroeft wat los en omdat ze allemaal om hem heen stonden — het gebeurde niet iedere dag dat het kastje openging en het was niet zonder risico — doet hij maar wat. En door een toeval, 'het zal in het algemeen geen opzet zijn geweest', flitst opeens de bliksem door zijn rechterarm en hij dondert achterover, benen spartelend in de ruimte. 'Rechterarm. Was het de linker geweest, stond deze jongen hier nu niet.'

Tegelijkertijd, precies op het moment van de klap, dooft in enen al het licht, de machines komen puffend tot stilstand en de radio valt uit, dat teringlawaai dat de hele dag door je heen denderde.

'Pikkiedonker dus.

En het raarste: niet het wegvallen van het geluid of het licht valt op, maar de reuk.

Je ruikt opeens dat je midden in een drukkerij staat, weet je, de zwarte geur van drukinkt.

Nooit eerder zo sterk gemerkt.

Iemand roept: "Leeft-ie nog?"

En: "Bel de 1-1-2!"

En: "Waar zijn de kaarsen?"

Dan zien we een klein wit rondje dat vanuit de verte zwaaiend naar ons toe wandelt, de cirkel wordt groter en groter en de stem van de baas, die vraagt of er zich geen persoonlijke ongelukken hebben voorgedaan.

De cirkel klimt langs mijn benen omhoog tot het licht als een schijnwerper recht in mijn smoel schijnt. Dit is de hel, denk ik nog.'

'En toen?'

'Zou ik dit ook in mijn optreden moeten verwerken? Zou het er wel in passen? Of is het niet opbouwend genoeg? Wat denk jij?'

'Het is een mooi verhaal, Joop, maar wat gebeurde er daarna? Moest je naar het ziekenhuis en —'

'Weekniemeer. De baas nam me geloof ik mee naar zijn

privékantoor. Zegt: je krijgt een extra bonus. Maar ik moet je wel ontslaan, want je kan er niks van.

Bijna zeg ik ja, en dan zie ik, ruik ik dat hij bang is. Geen goeie publiciteit voor een bedrijf als er een verkoold lijk tussen de machines ligt. Hij was veel banger dan ik, die net voor de poorten van de hel had gestaan! Dus ik zeg: dat is wel een heel schlemielige beloning voor een bijna-doodervaring, meneer. En hij zegt: hoeveel wil je? En ik noem een vet bedrag en dan maken we een deal. En hij mompelt nog iets van ik wil je nooit meer onder ogen krijgen, maar ik zeg tegen mezelf: Joop, die buit is mooi binnen. Daarna nooit meer een vaste baan gehad. Veels te link. Even wat opschrijven.'

Hij gaat zitten en zijn hand schiet links-rechts over het papier, door de bliksem gedreven.

Ik zou weleens een dag Joop willen zijn. Meemaken wat in zijn hoofd omgaat, die zwarte doos vol invallen, herinneringen, opwellingen, een kluwen die onophoudelijk nieuwe stroomstoten voortbrengt. Een bioscoop waarin tegelijkertijd op alle wanden filmbeelden heen en weer flitsen, doorlopende voorstelling waaruit elk normaal mens wankelend zou wegvluchten. Zou hij ooit rustig kunnen slapen of gaat het spektakel ook dan nog door, misschien nóg heftiger, want zonder controle van het wakend verstand?

En hij staat alweer naast me en vraagt, ogen groot of hij zijn hele apotheek in één keer heeft opgeslokt: 'Is het waar, is het ech waar wat je laatst zei?'

'Wat —'

'Dat van die spiegoloog?'

'Welke psycholoog, Joop, er schijnen er hier zoveel rond te lopen? Er is er een met drie brillen, er is er een die de boks geeft als je weggaat, er is er een met ogen als röntgenstralen.'

'Dat antwoord dat je toen gaf. Die man vroeg: wie of wat

neem je mee als je wie of wat mee mocht nemen naar een onbewoond eiland? En jij zei niet: een hond.' Hij knijpt de ogen half dicht, slim: 'Een hond, dat had ik je verboden. Hond helemaal fout, want een hond is geen mens, hè. Wist je dat mensen met levenslang tbs, die zitten in Scheveningen geloof ik, wist je dat die allemaal parkieten houden? En kooien, man, als paleizen! 's Ochtends is het daar net een tropisch regenwoud. Iedereen heb daar zijn eigen zangvogels en die zingen daar tegen elkaar op in hun prachtige houten sierhuizen. Kunstwerken zijn het. Maar eigenlijk, ja eigenlijk is het best wel zielig hè, want die vogels, het is niet voor niks dat ze juist zo gek zijn op zangvogels. *Gevangen* zangvogels. Eigenlijk zijn het, help me eens, jij weet zoveel van woorden, eigenlijk zijn het...'

'Lotgenoten.'

Hij geeft me zo'n hoek met zijn elleboog dat ik bijna omdonder: 'Precies! Met jou kan ik praten, jij bent... Maar wat ik ech wou zeggen...' Hij staat stokstijf stil. De blik half naar boven gericht, of hij luistert naar muziek die hij alleen hoort. 'Wat wou ik ook alweer... Ah, wat zei jij precies tegen die psieg: Joop wil ik meenemen? Joop de Dope die wil ik meenemen?'

Nu oppassen.

'Hij kende me dus?'

'Natuurlijk kende hij je.'

'En?'

'Ik geloof... dat zijn indruk wel gunstig was.'

'Dat zijn indruk wel gunstig was... Hij riep niet: wát, een fokking junk, waarom wil je die in je buurt hebben? Dat zei hij niet?'

'Zoiets zou een psycholoog nooit zeggen.'

'Maar dácht-ie het niet?'

Hij begint onrustig heen en weer te lopen. Van de eettafel pakt hij het vel papier dat hij net heeft volgeklad, leest, verfrommelt het en smijt het in de richting van de pedo, die piepend wegduikt en daardoor met zijn kop bijna tegen de buik van Brian terechtkomt. 'Fok op man, vuile reetkever.'

'Ik deed niks.'

'Je moet mij niet fokken, man.' Maar hij loopt door, achter zijn doodmoeie hoofd aan. Geen tijd voor afrekeningen. Als de leiding elke maand een bonte avond organiseerde zou er nooit meer gevochten worden. En geen onttrekkingen meer. Geef ons elke maand een burgemeester en we zullen ons keurig netjes sociaal wenselijk blijven gedragen.

'Weet je wat *ik* denk, Ronnie?'

'Zeg het maar meteen.'

'Ik denk, op dat onbewoonde eiland van jou, dat we elkaar na een week met kokosnoten de hersens in zouden slaan, dat denk ik.' Klap op de schouder: 'Even goeie vrienden hoor!'

Best te begrijpen dat Brian elke ochtend over koppijn klaagt en zo moe is dat hij geen stap meer kan verzetten. Want het valt bijna niet meer te scheiden: het bonzen van het bloed in je slapen en het opzwepende ritme dat van beneden komt. Het swingt en trilt de godganse dag door ons heen, de batterijen van de bonte avond worden opgeladen. Door de gangen zie je groepsleiders met rollen gekleurd glanspapier sjouwen. Er wordt zelfs gesproken over een spetterend vuurwerk dat de avond moet afsluiten. Amber, de meest uitdagende chick uit de meisjesgroepen, zou voor de hoge gasten een striptease willen opvoeren, of nog beter: paaldansen, heeft mevrouw de burgemeester vast nog nooit meegemaakt! Iemand is naar beneden gelazerd bij het opstapelen van een menselijke piramide, been gebroken. Bij metaalbewerking is een Antilliaan betrapt die een levensgroot mes had geslepen. Het nummer van de jongens uit het woonwagenkamp moet geschrapt worden nu blijkt dat ze een massale uitbraak aan het organiseren waren.

Zo stapelen de geruchten zich op, het een nog onwaarschijnlijker dan het andere, zodat er ongemerkt een waarheid tussendoor kan sluipen.

En ondertussen bonkt de muziek onder onze voeten steeds heftiger door. We liggen met het oor op de vloer maar de stem van Joop valt niet te onderscheiden binnen het bombardement van lawaai. Wie wordt voorgesteld aan de burgemeester hoeft haar alleen maar 'mevrouw' te noemen. Op ongeregeldheden en ander brutaal gedrag zullen strenge straffen volgen, en die treffen niet alleen de boosdoener maar de *hele* groep. Intrekken van al of niet begeleid verlof voor onbeperkte tijd, alle televisietoestellen van de kamers en minimaal een week niet roken, is dat duidelijk?

Het is Kees die de reglementen voorleest, eentonig en onverbiddelijk. Zo nu en dan kijkt hij argwanend over de rand van zijn leesbril, op zoek naar raddraaiers, herrieschoppers, spelbrekers. Hij eindigt met de zin: 'Laten we er gezamenlijk iets heel moois van maken.' Zijn keel brengt iets voort wat op een hik lijkt, alsof hij er zelf om moet lachen. De opwinding rond het spektakel heeft de laatste weerstand van zijn zenuwen gesloopt. Je voelt, het liefst zou hij in zijn duikboot stappen en op de zeebodem wachten tot het feest over is.

Er zijn geruchten over onenigheid binnen de leiding, de verantwoordelijkheid enzo. Iemand (de Torkoe?) heeft die hele bonte avond zelfs 'een onzalig idee' genoemd, maar het is nu te laat om het evenement af te blazen. Er is een locomotief zonder noodrem op de rails gezet.

De leerkrachten — voor zover niet met ziekteverlof, studiedag of sollicitatiegesprek voor een rustiger baan — worden bestookt met vragen als wat dat eigenlijk is, een burgemeester, of er een opleiding voor is, of je als burgemeester rijk kan worden en of ze getrouwd is. Waar ze woont (op die vraag wordt natuurlijk geen antwoord gegeven). En is het waar dat ze dag en nacht bewaakt wordt (net als wij, eigenlijk)? Of ze de koningin persoonlijk kent en een auto met chauffeur heeft? De vragen zoemen heen en weer en je moet het ze nageven, de mokro's, ze weten steeds weer iets nieuws te verzinnen. Heeft ze ook kinderen? Ja, heeft ze kinderen? Brian verzucht: 'Je zal maar een burgemeester als moeder hebben!'

Bij de peukpauze 's middags verklaart Stanley zomaar dat hij ons binnenkort voorgoed gaat verlaten.

Daar kijken we van op.

In de eerste plaats omdat Stanley zelden zonder aanleiding iets zegt en eigenlijk liever helemaal niet praat. Het is een eenling. Geen aso, dat niet, want altijd vriendelijk en beleefd als je hem iets vraagt. Maar uit eigen beweging zal hij nevernooit een gesprek aanknopen. Zijn woorden en gedachten zitten opgesloten in de gele Schiphol-tas die hij altijd bij zich draagt. Wordt altijd keurig netjes tegen een tafelpoot geparkeerd, beschermd als was het zijn huisdier. (Huisdieren mogen we niet houden. De vloer zou binnen de kortste keren vergeven zijn van de ratten, schildpadden, cavia's en wie weet zelfs slangen, nee dáár kunnen we echt niet aan beginnen, jongens. Ook niet op de kamer nee, beesten ontsnappen, weet je.)

En waar ga je dan heen, Stanley, andere afdeling? Meer open, omdat hij zich altijd zo rustig houdt?

'Dat niet direct, nee.'

De mokro's kijken hem strak aan, worden ze soms voor de gek gehouden door die zwijgzame Suri, respect man!

Of hij bij familie gaat wonen dan?

'Zou kunnen.'

Zou kunnen? Maar ze laten je toch niet zomaar gaan, Stanley? Is nog nooit voorgekomen. De reclassering, Nieuwe Perspectieven, WorkWise of hoe dat allemaal heet, die krijg je levenslang op je dak.

'Hoeft niet.'

Maar waar ga je dan naartoe, Stanley?

'Weet niet.'

Suriname?

'Kan ook.'

Maar hoe kom je daar dan?

'Ge-woon.'

Het blijft een groot raadsel, Stanley op wereldreis.

Komt iemand je dan halen?

'Zo... zou je het kunnen noemen, ja.'

Het is stil. Iedereen heeft het plechtige woord in gedachten dat aan de tandarts doet denken, 'onttrekking'. Stanley gaat zich onttrekken. Maar hoe, hij heeft geen andere handlanger dan SeeBuyFly.

Staan ze buiten te wachten? Met hoeveel? Hulp van binnen?

De mokro's dringen aan, stuiteren om hem heen. Heeft de groep hiertegenover er dan mee te maken? dringt Hamid aan, die doen zo geheimzinnig de laatste tijd, weet je.

Stanley beseft dat hij de mokro's die als een hechtpleister aan hem hangen niet zonder een duidelijk antwoord kwijtraakt. En daarom, doodkalm, noemt hij een plaatsnaam die klinkt als Evert of Eefje. Is-ie eerder geweest en hij begint zowaar uit te leggen, praat tegen ons allemaal al kijkt hij niemand aan, neemt na iedere handvol woorden een rustpauze. Het is eigenlijk geen inrichting of gevangenis, zegt hij. Gevangenis al helemaal niet.

'Meer een grote tuin met een oud gebouw in het midden.

En wat huizen eromheen. Een tuin met heuvels en een grote waterval.

Hekken of slagbomen zijn er niet te zien.

Je kan eigenlijk gewoon weglopen. Of weer terugkomen, dat ook. Maar niemand doet dat. Hoefde niet. Je kwam toch al zo vaak buiten, voor school, voor sport, weet je.

Ik, ik zat bij de plantsoenendienst. Kuil graven voor bomen te planten. Of struiken verzetten, van hier naar daar. Leuk werk. Praatje maken met de mensen in de buurt. Die doen nooit vervelend ofzo.

Leren grasmaaien met een machine. Soort tractor, waarmee je heuvel op en af rijdt. Die dingen kunnen nog aardig hard gaan, relaxed, man!

Als je wakker wordt zie je overal groen uit je raam. Vogels. En andere beesten natuurlijk. Iedereen mocht zelf een eigen dier houden. De meisjes, die reden natuurlijk paard. Hoog boven op zo'n paard zitten. Ze gingen de bossen in, of langs de rivier.'

'Had jij ook een eigen dier?' vraagt Brian.

'Tuurlijk. Iedereen had een eigen dier.'

'Wat voor dier dan?'

'Een egel. Heel geinig, je raakte hem even aan en hij dook helemaal in elkaar. Snuit heette-die. Je moest hem in de gaten houden, hoor. Dat-ie niet afnokte. Zo'n klein beest en toch met een rotgang op die rotpootjes, zoef ervandoor!' Stanley lacht. Het is voor het eerst in al die maanden dat we hem zien lachen.

We durven niet te vragen waar Snuit gebleven is (in de plastic tas misschien?).

Dromerig gaat hij door: 'Ik wilde wel tuinier worden. Naar de... de hoveniersschool. Werken bij een boer of tuinder, zoiets weet je wel. Ach ja...

's Winters ligt er ijs op de plassen bij de grote rivier. Daarom heet die ook IJssel. Je kan erop schaatsen, áls je kan schaatsen natuurlijk. We kregen wel de hele dag vrij. En ook in de zomer ga je naar de rivier. Komen er grote, lage schepen voorbij. Die boten, die zijn zo lang en smal, je houdt het niet voor mogelijk hoe ze een bocht kunnen nemen.

In de kajuit — zo heet dat — staat de kapitein of de vrouw van de kapitein. Als je roept, zwaaien ze terug. Aardige mensen, allemaal. Doen gewoon.

Aan een lange lijn hangen de kleren te drogen. Hemden en broeken, ze staan bol van de wind. Grappig gezicht is dat altijd, net of er iemand in zit. En achter de stuurhut staat vaak een auto geparkeerd. Een auto op zo'n smal schip! Hoe ze dat daar bovenop krijgen?

Soms zie je ook kinderen op de boot, maar niet van onze leeftijd. Ik ben altijd jaloers. Soms stroomt het water snel, soms gaat het langzamer. Er is altijd beweging op die rivier. In de verte de torens van de stad, maar ik hoef er niet heen.

De kinderen die in Epe of Eefde komen, eerst zijn ze nog stil of boos. En dan zie je hoe ze vanzelf echt rustiger... Het is de omgeving, al dat groene gras en de bomen en de rivier...

Vooral die rivier natuurlijk. Ze beginnen een praatje te maken. Lachen en niet: uitlachen. Mogen met de tractor grasmaaien. Paard hooi geven en borstelen tot-ie blinkt. Iedereen is altijd aardig en doet normaal. Je vergeet waarom je boos was. Het is er ook altijd mooi weer, beter dan bij ons.'

Hij kijkt ons een voor een aan, verbaasd over zoveel belangstelling ineens. Staart dan naar de grond voor zijn Puma's. In één keer meer losgelaten dan gewoonlijk in een maand uit zijn mond druppelt.

Ik vraag waarom hij daar dan wegging.

Glimlach: 'Iemand wou mijn tas afpakken.'

'Dus je wordt overgeplaatst?'

'Dat niet, nee.'

'Maar hoe wil je daar dan komen, in Ede?'

Zijn rechterhand tast naar de tas: 'Met de helikopter natuurlijk.'

Opluchting. Gebakken lucht. Die Stanley!

De groep dreigt uit elkaar te vallen, maar dan roept de stilste Marokkaan opeens: 'En ik ga later varen!'

We weten niet eens hoe hij heet maar hij vertelt hoe hij 'hiervóór' in een instelling gezeten heeft waar ze soms de zee op gingen. Oude vissersboot door Justitie gekocht en verbouwd tot drijvende gevangenis. Tenminste, zo dacht je als je aan boord kwam. De bemanning was streng, maar je mocht soms het stuur vasthouden – hij gebaart met z'n handen of-ie een grote wereldbol in bedwang houdt. De kapitein voer het liefst uit wanneer er een stevige storm stond, 'want dan werden wij in onze kooien heen en weer gekwakt. De meeste Marokkanen komen uit de bergen, weet je, de mensen in zo'n dorp hebben vaak nog nooit de zee gezien. En helemaal geen golven die het schip optillen en neersmijten. De bemanning lachte zich rot en wij een dag lang kotsen. Daarna werd het makkelijker, je oor' – hij wees – 'wende vanzelf aan de bewegingen. En je wist nu wie de baas was en dat je beter zelf ook in beweging kon blijven. Ging je liggen werd het alleen maar erger, weet je.'

En eigenlijk viel het wel mee, eigenlijk was het chill op zo'n schip dat de hele tijd heen en weer stampt. En die wind! Je moest je steeds stevig aan iets vastklampen als je het dek op ging. Anders verdween je meteen in de zee 'en dan ben je binnen een paar minuten dood. Bevroren.' Dat vertelde de kapitein dus, die had het een paar keer meegemaakt (niet zelf natuurlijk). 'Het is eerst wennen, maar ze zijn niet te beroerd je te helpen als je maar "de handen uit de mouwen steekt". Daar hadden ze het de hele tijd over, "je handen uit de mouwen steken". Wie geen poot uitstak, had een beroerd leven. Dus je doet mee.

En dan komt de beloning.

Het net wordt druipend uit zee getakeld, je weet niet wat je ziet.

Nooit zoiets meegemaakt.

Al die glinsterende, springende dingen in het zonlicht.

Honderden, duizenden lijken het er wel.

Dat krioelt maar en wringt en glimt...'

Toen had hij besloten zeeman te worden.

Als je op zo'n boot werkt moest je wel clean blijven, eerste voordeel.

Ging je aan land, dan altijd in een groep. Samen uit, samen thuis, dat hoorde zo op de wilde vaart, je kan elkaar vertrouwen, je steunt elkaar.

'Ik word zeeman of visser. Misschien niet voor mijn hele leven, maar toch. Het is een mooi vak.'

Hamid mokt jaloers: 'Een Marokkaanse visser op een Nederlandse boot, werd je niet gediscrimineerd, weet je wel? Dat jij alle kutklussen en hun —'

'Ze vonden het leuk. Na de tocht stuurden ze me met een andere boot mee, had ik om gevraagd. Je hoort erbij en dan hoor je erbij. Maar wel werken hè. En elke keer als er zo'n lading vis op het dek plensde, is het weer kicken. Hun zoeken nu een vaste plaats voor me. Die ene kapitein heb een mooie brief aan Justitie geschreven en die andere ook. Ze willen me graag hebben. Het is een kwestie van tijd, zeggen ze.' Hij staart in de verte, slikt, kijkt naar de weilanden of hij daarachter de zee al kan zien.

'Ik moet er niet aan denken,' mompelt Hamid, 'al dat water. Ik word al ziek als ik een boot zie.'

'Al die drukte om een stel dooie beesten,' mort een andere mokro.

'En dat smerige Hollandse eten.'

'Altijd vis.'

'Ben jij eigenlijk wel een van ons?'

De visser draait zich snel om.

'Ik heb ook een mooi verhaal,' roept Joop, die de sprookjes van Stanley en de Marokkaanse visser met open mond, bijna kwijlend, gevolgd heeft.

'Is het weer een film, Joop?'

'Nee, ik heb het ech meegemaakt. Als ik eens alles zou vertellen wat deze jongen zelf ech heb meegemaakt. Misdaad, moord en doodslag — maar daar hebben we het nou niet over —, liefde enzovoort. Goed, op een avond zit ik zonder en wat doe je dan? Ik besluit het dan maar te gaan halen in een van de betere buurten. Dat zijn de straten waar na zevenen de gordijnen potdicht gaan en het is er zo stil dat je zelfs met je oor tegen het keukenraam geen muis hoort schuifelen. Oudere mensen die niet zo vaak naar de bank gaan en dus meestal wat in de linnenkast hebben klaarliggen, je begrijpt me wel.' Knipoog.

'Affijn, ik zoek zo'n kast van een huis uit.

Loop over het pad naar de garage de tuin in en kom bij de keukendeur. Die wil ik forceren maar val achterover want de deur schiet uit mijn hand. Was open alsof hij al de hele dag op me stond te wachten, dus. Oude mensen zijn vergeetachtig, sluit jij af of ik, en dan vergeten ze het allebei weer.

Ik doe een paar stappen in de gang en ik schrik want iets begint te tikken en dan te bonzen en te beuken dat mijn hele lijf trilt. Ik denk: Joop, je laatste uur heb geslagen. Grote staande klok in houten kast. Puik exemplaar, ech waar, maar te groot om over de schouder mee te nemen, hè. Ik denk ook nog iets anders te horen, een dunner geluid als het ware, maar je moet je eigen niet bang maken.

Mijn methode is: altijd meteen de trap op, slaapkamer,

linnenkast. Ergens tussen de slopen of gestreepte pyjama's is het altijd bingo-kassa. Heb al een voet op de trap als de deur van de huiskamer openzwaait. Licht aan in de gang, geen tl gelukkig, maar een soort lantaarn met gele gloed. "Ach," zegt die man meteen, "kijk eens aan, we hebben bezoek."

Staat-ie daar te glimmen en te glimlachen; heeft een soort kamerjas aan, net een gewatteerde deken. Doet-ie een stap opzij en zegt: "Maar kom toch binnen, jongeman." Zijn witte hand wijst naar de deuropening waarachter een zwak schijnsel zichtbaar is. Deze mensen zijn zuinig met licht, denk ik nog.

"Kom nou maar, wij zijn dol op gasten. Hoe later de avond, hoe schoner volk, zeg ik altijd maar."

Ik denk: gekker kan het niet worden en volg die vriendelijke baas. En ik hoor hem kraaien: "We hebben een gast vanavond, mensen, het is weer gelukt."

Opgewonden gemompel achter hem.

Ik kom binnen en het eerste wat ik zie is een lange tafel met kandelaars, helemaal gedekt met glaswerk en porselein en weet ik veel. Aan die tafel zitten niet twintig, niet tien, maar' — hij steekt twee vingers op. 'Een oude dame en een meisje dat hun dochter of kleinkind kan wezen.

"Gaat u toch zitten!"

Doe ik. Maar op het randje van de sjieke stoel die de oude heer voor mij opzij schoof.

"Wat een aangename verrassing."

"Hoe later de avond hoe schoner..."

De dochter kijkt me aan of ze nog nooit een jongeman van mijn leeftijd gezien heeft. "En, met wie hebben we de eer...?"

De dame naast me stoot me aan en fluistert: "We willen graag uw naam weten."

Ik zeg: "Ik heet Joop."

"Joop hoe?"

"Joop Jansen, maar ze noemen me meestal Joop de Dope."
Het is eruit voor ik het weet.

De dochter klapt in haar handen. "Wat een originele naam
is dat!"

De tafel staat vol schotels en schalen en toch ontbreekt er
wat. Ik kan er nog niet de vinger op leggen. En het is natuurlijk niet beleefd om overal je neus in te steken; je bent tenslotte bezoek.

"Agnes, schep jij die jongen eens op. Hij is zo verlegen,
durft vast niet zelf te nemen."

In mijn blikveld verschijnt een zilveren schotel met een
grote vis. Niet zomaar een vis, nee een monster van een
beest, je kent dat wel. En zoals dat gaat met vissen, de ogen
staren je aan. Glazig. Met veel verwonderd wit. En donkerblauw ook. De bek hangt half open, je ziet een rij puntige
tandjes met daarachter een diepdonker gat. Maar die ogen,
die blijven je aanstaren, hè, dat giftige blauw en dat glanzende wit. Een zieke blik, ech.

Agnes laat het gedrocht helemaal op m'n bord glijden, de
staart floept erachteraan. Op de rug zitten gevaarlijke tenta-
kels, haken, weerhaken en sprieten. Zoiets zie je zelfs in een
aquarium niet. En dat je dat nog kan opeten ook! *Moet* eten,
in mijn geval.

Ik zet dus mijn mes — dat een hele rare vorm heeft want
stomp op het eind — in het vlees. In het beest bedoel ik. Maar
omdat ik toch ook netjes ben opgevoed, ik wil laten zien dat
ik mijn manieren ken, zeg ik hardop: "Eet smakelijk." De
muren reageren dof. De familie zegt niks. Ook de vis kijkt
verstoord.

Agnes buigt zich naar mij toe en fluistert: "Zoiets zeggen
wij aan tafel nooit."

"O pardon. Wat zeggen jullie dan?"

"Wij zeggen altijd: *aanvallen!*" Ze schreeuwt het bijna, slaat lachend voorover.

Eigenaardig meisje. De ouders kijken glimlachend toe.

Vreemd. In een huis als dit zou je personeel verwachten. De klok in de gang begint weer te bonzen en ik weet nog dat ik denk: ben ik hier al zó lang?

Ik weet wat vlees uit de flank van het zeebeest los te peuteren, het lijkt net of ik hem hoor kreunen. De familie volgt mijn bewegingen alsof ze nog nooit iemand zagen eten.

Het valt niet mee rustig te tjappen als vier paar ogen je bespieden. Ik laad het stuk beest over van het stompe mes naar mijn lepel en breng die naar mijn mond. En pas onderweg met die lading, valt het me op: hun hebben niks op hun bord. Leeg. En het ziet er ook uit of er nooit iets gelegen heb, geen bruine vlekken, kruimels, niks-naks van dat alles. Ik leg mijn lepel met vracht en al weer neer en informeer of ze zelf dan niet...?

"Ga rustig je gang, Joop."

"Wij zijn over het algemeen genomen heel bescheiden eters."

"Trek je maar niks van ons aan, hoor," zegt Agnes, die ik steeds aardiger begin te vinden.

"Maar... hébt u al gegeten of moeten jullie nog?"

De moeder zegt met een lieve glimlach dat het voor hen niet zo belangrijk is. Niet iets van levensbelang.

"Neem zoveel als je wil, Joop. D'r is meer dan genoeg. Te veel zelfs. Veels te veel voor zo'n klein gezin."

Nou, dus val ik maar weer aan.

Die vis — ik had het liefst een servet over zijn koplampen gelegd; maar het servet ligt keurig op mijn knieën, deze jongen weet hoe het hoort — de vis smaakt naar papier. Alleen omdat Agnes zo tevreden naar me kijkt krijg ik de prop door mijn keel. Smaakt ech helemaal nergens naar.

Gelukkig vraagt de vader (of grootvader) wat ik voor m'n beroep doe. Een onderwerp dat ik meestal wat afhou, dus ik zeg: ach, je vindt weleens wat op straat, niet?

"U vindt weleens wat op straat? Wat origineel. Zelf vind ik nooit wat op straat. Vroeger ook niet trouwens."

"Dat komt omdat je altijd met je hoofd in de wolken loopt," zegt zijn vrouw. En de dochter, snel: "Maar pap, wanneer kom jij nou op straat?"

De vis vindt z'n draai niet in mijn maag. Het lijkt wel of hij daar beneden nog ligt te spartelen met z'n staart. Hij wordt zwaarder en zwaarder, dat zijn van die momenten dat je gaat denken: wij eten dooie beesten. Het ligt daar maar te rotten in je maag. Kan niet goed voor een mens wezen. Ik word in één klap, hoe heet dat ook alweer?'

'Vegetariër.'

'Dank je, Ronnie. Nee, smakelijk eten, dát was het niet. En opeens denk ik, zomaar, out of zie blue: ze willen me vergiftigen. Elke avond laten ze de deur van de keuken openstaan in de hoop dat er gasten als ik binnenwaaien en die voeren ze dan rattenkruit. Het is een soort... hoe heet dat? Buurtpreventie, ja, dat is het. Hun manier om de zieke maatschappij gezonder te maken, weet je wel. Kortom, het is gewoon een val.

Ik schuif het bord van me af. De vis grijnst, hij heb gewonnen. Ik graai het servet van m'n knieën en leg het over die gemene rotkop. Wegwezen!

Ik wil opstaan, maar mijn knieën zijn uitgehold, het vergif zit al in m'n onderlijf. Ik hijs me overeind, het tafelblad helt.

Ze kijken me verbaasd aan. "Maar gaat u nu al weg, meneer Joop?"

"Het was net zo gezellig!"

"We hebben niet zo heel vaak mensen op bezoek, weet u."

"En zeker niet van die mensen als u."

Mijn spieren zijn gesmolten, kom geen stap vooruit.

De vader stapt op me af en vraagt of ik geld nodig heb. Hij gaat weg en ik sta daar maar, de teleurstelling van Agnes, de moeder die met haar vingers zenuwachtig aan de rand van haar servet zit te pulken omdat de vis niet smaakte.

Er wordt geen woord gewisseld tot de oude man terugkomt, in zijn rechterhand een stapel kraakverse bankbiljetten: "Hier, neem nou maar, we hebben het niet meer nodig."

"Neem nou maar," zegt ook de moeder, vermoeid.

Ik voel, ik weet, het is niet goed. Bloedgeld of iets anders wat niet deugt. En bovendien, als het zo makkelijk gaat, waarom zou je dan nog jatten? Hier klopt iets niet. Waar zullen ze me begraven, in de tuin?

Hij duwt het pakketje tegen mijn hand, z'n familie dringt aan, neem toch, neem! Toe nou Joop de Dope, pak het nou. Ze willen m'n vingerafdrukken op de bankbiljetten en dan de arrestatie natuurlijk, het is té doorzichtig. Anders... zijn ze te goed voor deze wereld. Het kan niet waar zijn. Zo is het toch?'

Hij kijkt ons een voor een aan, tot zijn blik blijft steken bij Nelson die zich ongemerkt bij de toehoorders op het balkon heeft aangesloten. 'Zo is het toch, Nelson, zeg jij nou eens wat, jij gelooft toch in God, jij kent de Bijbel uit je hoofd enzo.'

'Het is een droom.'

De mokro's beginnen door elkaar te praten of ze wakker worden, Hamid komt er nauwelijks bovenuit.

Nelson gaat door: 'Een droom heeft altijd betekenis.' Hij zegt het rustig, duldt geen tegenspraak.

'Maar wat is dan de betekenis, Nelson, leg jij het uit.'

'Ik ben Jakob niet. Wat de betekenis is, dat blijkt voor ons gewone mensen pas veel later.'

Teleurstelling. Wat hebben we daar nou aan!

'Een droom? Maar ik heb het meegemaakt, zo waar als ik hier sta. Ik weet waar ze wonen.'

'Oja?' vraagt Saïd snel. 'Waar dan? Ik zou weleens een klein bezoekje aan die gasten...'

'Ongelukkige, doe dat niet! Het is een valstrik. Dat huis, dat is een grote lokdoos, ze zijn al bezig ons uit te roeien, net als in Brazilië enzo, waar ze 's nachts jonge criminelen opjagen en doodschieten.'

'Een droom heeft altijd een bepaalde betekenis. God geeft ons een glimp van de toekomst. Dat lees je in de Bijbel. En in de Koran,' voegt hij eraan toe, 'maar daar heet Jakob Jakoeb. En nu naar binnen, heren.'

De groep valt uiteen. Jakob-Jakoeb-Jakoeb.

Brian zit al voor de spelletjescomputer waar hij zijn vriendje het grote monster ontmoet.

Nu pas horen we weer hoe beneden de bassen bonken tegen het plafond. Het lijkt of ze een batterij versterkers hebben gehuurd. Woorden zijn nog steeds niet te verstaan, maar de muziek moordt.

'Nog één nachtje slapen,' zegt Nelson.

Ik herken de uitdrukking, het is wat mijn moeder zei de avond voor mijn verjaardag. Of een ander feestje waar je je op moest verheugen en dat altijd in het water viel of verziekt werd door mijn vader. Ellendige herinneringen, je moest je hersens schoon kunnen spoelen. En dan die dromen van valse beschuldigingen en andere vergissingen, vrienden die je voorbijlopen, dat soort dingen.

Later op de avond komt de Torkoe binnen. In haast, hij ziet me nauwelijks staan. Gaat meteen het glazen hok in om met de groepsleiders te praten. Of liever, hij praat op ze in, zij mogen luisteren. Nelson knikt, een jonge stagiaire schrijft alles op. Er lijkt geen eind te komen aan de richtlijnen, regels, waarschuwingen die ze over zich heen krijgen.

Ook dat gesprek dat geen gesprek is maakt me onrustig. De Torkoe is een doener, daarvoor wordt hij gerespecteerd; nu maakt hij veel te veel woorden vuil. Hij vertrouwt het niet. Het dreigende vingertje. Ik zou hem willen bijstaan, maar het is nu te laat, de toekomst even onverbiddelijk als de zwaartekracht.

En zoals altijd op de moeilijkste momenten probeer ik mezelf te troosten met de raad die een aardige psychologe me ooit gaf. 'Je moet denken: ooit kom ik eruit, en dan zal je terugkijken en denken, was ik dat nou? Je zal er soms over dromen, wat er hier gebeurd is, de vechtpartijen, incidenten, onttrekkingen. Het geweld. Maar het is voorbij. En dan zal het zijn of het nooit gebeurd is. Een hersenschim. De droom van een ander.'

Wat deed je in die inrichting, hoe hield je het vol?

Ik zat het uit. Ik keek naar wat de anderen deden. Ik probeerde er zo veel mogelijk niet te zijn en als ik ooit buiten kom, zal dat vast het moeilijkste zijn: weer zichtbaar worden. Dat mensen gewoon met je beginnen te praten, niet om indruk te maken, niet om te dreigen, niet omdat ze iets van je willen. Ja, het zal lang duren voor ik weer herkend word en soms, soms is het nog steeds of delen van mijn lichaam, de handen bijvoorbeeld, vaag blijven.

Ik voel dat wij dat allemaal hebben.

'Je moet denken: ooit kom je eruit en dan...'

Zijzelf, de psychologe, kwam er eerder uit. Want ze was al na twee maanden vertrokken.

Vóór de pauze

Joop steelt de show, nu al.

Hij draagt een hagelwitte broek met scherpe plooi en een even smetteloos overhemd. Ziet er eerder uit als een turner dan een zanger of muzikant.

Hij is onaanspreekbaar zenuwachtig.

Van beneden, opeens, nóg harder dan alle voorgaande dagen, woeste stampmuziek.

'Hoor je ze?' schreeuwt hij. 'Dat zijn me matties, ze roepen me.' De rest van zijn zinnen gaat verloren in deze orkaan van lawaai. Die vervolgens weer even abrupt wegebt.

'En dat is nog niks, oh no, man,' grijnst onze Joop.

Beneden tettert iemand op een trompet.

De burgemeester, ze is aangekomen!

We rennen naar het raam, maar daar is natuurlijk niks te zien behalve weilanden en weilanden tot aan de horizon, met onverstoorbare koeien. Geen vrachtauto's met schotelantennes of limousines plus motorescorte.

Om half zeven zullen we worden opgehaald. Een uur eerder staan we al klaar, Joop onze artiest en verder de jongens die zo braaf en onschadelijk lijken dat ze het spektakel beneden in de zaal mogen meemaken. Dat zijn: de pedo (ook als troostprijs nu zijn voordracht over het hotelwezen definitief is afgewezen), Brian, Dennis en de Marokkaan die visser wil worden en die schriftelijk heeft verklaard: ik wil de burgemeester bestwel een hand geven. Hij komt niet uit het woeste gebergte waar de meeste mokro's gefokt worden, maar uit de vlakte waar ze Frans spreken en elkaar een hand geven. En dan ik nog.

De Torkoe zelf komt ons ophalen. 'Alles goed hier?' vraagt hij aan Kees.

'Alles kits onder de rits.' Maar de oogleden van de oude duikbootmatroos knipperen of hij tegen een felle lichtbundel in kijkt.

De Torkoe draagt een mosgroen pak voor deze gelegenheid. Helemaal fout. Ziet er nu uit als een boswachter in plaats van een man die het gezag moet handhaven.

Ze verdwijnen in het glazen hok om de laatste instructies door te nemen.

Joop komt naast me staan. Hij voelt zich ongemakkelijk in zijn scherpgestreken broek. Ogen groot of ze uit de diepe kassen willen vluchten.

Eerst versta ik hem niet.

'Denk je dat we slecht zijn?'

'Wat...'

'Dat we het helemaal verkeerd doen? Wij. Jij, ik, iedereen hier.'

'Ik begrijp niet...'

'Denk jij ook weleens, Ronnie, dat als iemand als kind geslagen wordt, dag in dag uit, al heeft hij helemaal *niks* gedaan, niet eens brutaal gekeken; al heeft-ie geen andere schuld dan dat hij toevallig het kind is van een vader die graag de handjes laat wapperen...'

'Ja?'

'Dat je dan als kind vanzelf gaat denken: ik ben slecht? Want een vader, iemand die je niet zomaar op de wereld heb gezet, iemand die toch eigenlijk van je hoort te houden, een vader slaat je toch niet zomaar, zonder reden? Toch? Zonder dat je die klappen ergens aan *verdiend* heb? En dat je dan...

vanzelf die slechte dingen gaat doen, dingen waarvan je weet dat ze niet deugen, omdat het dan duidelijk wordt, hè: ik ben slecht, ik doe verkeerde dingen en dus verdien ik ook straf. Dan... klopt het, snap je? Druk ik me duidelijk uit, Ronnie, zeg jij het nou, jij heb door kunnen leren. Heb ik gelijk, voel jij dat ook zo? Slechtheid als een... als zegmaar een beroep, een bestemming? Zoiets.'

Voor ik kan antwoorden komt er een trompetstoot tussen: het startsein. De Torkoe als een haas uit het kantoortje.

Joop haalt het grote ronde horloge tevoorschijn dat hij altijd bij zich draagt. Kijkt, knipoogt: 'De planken liggen te zweten van de koorts, dude.'

De Torkoe telt de koppen. Houdt dan z'n kaartje tegen de deurpost en het glas wijkt om ons door te laten. Joop voorop, de pedo en Dennis (die een ingewikkelde schuine mop vertelt) volgen, dan de Marokkaan, Brian en ik. 'Kom op, jongens.'

Ik kijk nog één keer om.

De woedende kop van Kevin de voetbalvechter die niet mocht optreden omdat zijn act (breakdansen) te agressief zou zijn. En de vuile grijns van de kv in zijn witte trui.

Joop kakelt aan één stuk door, de Torkoe zegt niks terug. De vingers van zijn rechterhand maken een knippend geluid, zelfs hij is zenuwachtig. Als we de traptreden afdalen zwelt het lawaai ons tegemoet. Onbekende volwassenen, even nieuwsgierig als wij, zoeken hun weg naar de gymzaal. Ze schuiven tegen elkaar aan, de vreemden, begeleid door bewakers met een rode band om hun bovenarm. Er wordt veel te veel geglimlacht.

De zaal is onherkenbaar.

Boven het podium torent een stalen stellage uit die de schijnwerpers moet dragen. Schijnwerpers die gekleurde lichtbundels door de ruimte laten dwalen. Oranje en zwartplastic gordijnen sluiten het zicht op de planken van het podium waar het allemaal gaat gebeuren nog af. Tegen de wandrekken aan de zijkant leunen achteloos stevige bewakers, de meeste zwart. Ze houden de handen strak voor het kruis, ongeveer als voetballers bij een vrije trap. Ik ken ze niet, ze dragen bovendien vrijwel allemaal een donkere zonnebril zoals je dat op de film ziet of op het journaal wanneer er belangrijke personen beschermd moeten worden.

Ook in het gangpad stappen een paar gorilla's heen en weer. Zij moeten zorgen dat de jongens en meisjes strikt gescheiden blijven. Geen gerotzooi tijdens de voorstelling. Deze scheiding tussen de seksen geldt natuurlijk niet voor de gasten die nu binnendruppelen. Nog geen spoor van de burgemeester. Veel grijze pakken en grijze dames in jurken tot diep onder de knie die elkaar uitgelaten begroeten: 'Wat leuk om jou óók hier te zien!'

Een mollig meisje moet ons de plaatsen wijzen. 'Daar,' zegt ze, verder niks. Pas als ik zit, merk ik: Joop is weg. Hij zal op eigen kracht de weg naar de kleedkamers hebben gevonden. Ik had hem nog zoveel willen zeggen, over zijn vraag. Ook de Torkoe is in de menigte opgelost. Naast ons staat al een stevige bewaker, witte knop in het oor. Net een film.

De pedo kijkt met schrikogen om zich heen. Alsof het woord 'pedo' in zijn voorhoofd staat gebrand. De Marokkaan probeert heftig in contact te komen met een van de meisjes aan de overkant van het gangpad. De bewaker gaat pal tussen hen in staan. Ze hebben de zaak goed in de hand, tot nu toe.

Te goed, vermoed ik. Want ik merk dat behalve de ingehuurde beveiliging ook de meest gerespecteerde groepsleiders hier aanwezig zijn. Verkeerde keus, zoals het groene pak van de Torkoe. Want op de afdelingen zullen de jongens die zijn achtergebleven hoe langer hoe onrustiger worden, opgefokt door het spektakel dat ze wel horen maar niet mogen zien. Dubbel opgesloten is dubbel opgenaaid. Dubbel gediscrimineerd (nee, toch net niet: daarom moesten er natuurlijk ook een paar mokro's in de zaal zitten, al of niet bereid tot handje geven). Hoe dan ook, wat boven achterbleef zijn juist de zwaarste gevallen, schizofrenen en psychopaten die om niks de ribben uit je lijf rammen. En die worden nu bewaakt door de zwakste krachten onder het personeel. Kruitvat! Vuurwerkpakhuis! Bijna spijt dat ik er niet bij kan zijn. Wat een blunder van de Torkoe. Ze hadden mij hoofd beveiliging moeten maken, ik weet precies waar het geweld zich opmaakt voor de slag.

Mijn opwinding verdwijnt als ik een bekend gezicht herken. Ik zwaai, mijn hand wuift op eigen kracht. De röntgenblik blijft even op mij rusten, het lijkt erop dat hij reageert. De ogen taxeren, zijn blik flitst geschrokken weg alsof hij iets smerigs heeft gezien. Heeft intussen te veel over mij gehoord natuurlijk, niets blijft in deze gesloten broeikas verborgen. Maar toch... Niet eens een koel knikje en nu staat hij al zijn grijns te rekken tegenover een dame die een hand in een paarse handschoen op zijn schouder legt. O, wat moeten ze lachen, de hoofden buigen voorover of ze elkaar vol op de mond gaan bekken. Ja, geweldig grappig, al die boeven en boefjes bij elkaar, en wat houden ze zich keurig rustig hè, jullie hebben ze goed onder de duim hoor. Ik spring op, even lijkt het of hij mijn beweging heeft opgemerkt, de glimlach stolt op z'n laffe smoel, ik doe een stap in zijn richting om me bekend te maken, een begroeting kan er toch zeker nog wel af.

Een harde hand op mijn schouder: 'Rustig maar.' De ogen van de bewaker blijven verborgen achter de zwarte spiegel van zijn zonnebril. Het heeft geen zin te protesteren. Ze weten niet wie hier zit.

Hoe heette die film ook alweer waar Joop over vertelde,

ik heb het boek gelezen, hij vier keer de film gezien? Hoofdpersoon een meisje met een paranormale gave: alleen door te kijken, strak en indringend te staren, kon ze dingen laten bewegen. Speelde zich ook in een gymzaal af of in ieder geval een feestruimte. Schoolfeest. Iedereen opgefokt vrolijk, behalve de eenzame heldin. En die neemt dan wraak op al die etters die haar een jaar lang gepest hebben. Ze kijkt, ze staart strak met haar bovennatuurlijke blik naar de zware balk hoog boven de hossende menigte. Balk waaraan de gordijnen hangen begint langzaam door te buigen. De pretmakers gaan uit hun dak, zijn zich geen moment van het gevaar bewust. Meisje concentreert zich, balk breekt, de zware plooien van de gordijnen storten op het podium, smoren de doodskreten van de slachtoffers, de andere feestvarkens dringen naar de smalle uitgang, drukken elkaar plat. Rook, brand, totale paniek. In de zaal, alleen achtergebleven, de hoofdpersoon, die iets met een K heet, innig tevreden. Zat er hier maar zo'n doodongelukkig meisje met paranormale kracht in de zaal. En dan dr. Röntgen onder het glimmende plastic laten verdwijnen!

Opeens wijken de dames en heren bij het podium uit elkaar om een pad vrij te maken. Een brede baan voor de vrouw die nu minzaam knikkend binnenschrijdt. Handje hier, knikje daar. Grijs haar (zelfde kapper als de koningin), hoofd zonder nek op de vierkante romp geschroefd. Naast haar een lange man in uniform, fiere blonde snor met naar boven gedraaide punten. 'De korpschef,' wordt doorgegeven, 'de korpschef zelf.' Het tweetal deelt nog wat handdrukken uit tot ze op zijn, neemt dan de ereplaatsen pal voor het podium in. De korpschef doet z'n pet af en legt hem op z'n knieën. De andere rijen vullen zich nu ook met gasten. Iemand steekt het hoofd tussen de glimmende gordijnen door, staart de roezemoezende zaal in en deinst terug. Meteen daarna galmt het door de ruimte: 'Test... test.' Nog meer leven achter het plastic, dat bol staat van de bewegingen.

Dennis naast mij — hij kan de knieën nauwelijks stilhouden — vertelt nog eens zijn verhaal: 'Ze riep me! Zat ze boven aan de trap. Benen wijd uit elkaar. D'r ochtendjas viel open. Nou je begrijpt... Villa Schoonzicht noemt m'n stiefvader dat.' De mokro die links van hem zit knikt alsof het hem ook vaak is overkomen. Aan mijn rechterkant de pedo: 'Ik ben eens in een hotel geweest, daar vierden ze elke dag feest, echt waar. Gasten, bedienend personeel, de staf, de directeur en de portier, iedereen deed mee. En voor alle leeftijden hè, ouders, kinderen. Ze kwamen ervoor van ver in de omtrek gelegen dorpen en boerenhoeven. Ik was nog jong toen, maar leeftijd speelde echt geen enkele rol. Je zou bijna zeggen: *juist* niet.' Hij grinnikt.

De rest van zijn woorden (misschien het begin van zijn afgekeurde voordracht) gaat verloren als de gordijnen klaterend openschuiven en drie stevige jongens naar het drumstel in de hoek wandelen. Gejoel, al een aarzelend applaus, de zaal heeft er zin in. Twee muzikanten pakken hun blinkende gitaar, de grootste jongen gaat achter het drumstel zitten. Hij draagt een zwart T-shirt. Zijn gespierde bovenarmen glanzen donker in het licht van de schijnwerper die op hen inzoomt. Ze buigen de nek en de muziek knalt, eindelijk bevrijd, tegen de krimpende muren. Waar is Joop? Is dan alle inspanning om hem hier te krijgen voor niks geweest?

Wel zie ik een man met een videocamera, die de opnamen maakt voor de achterblijvers die zich boven zitten te verbijten. Hij knielt in het middenpad of hij het drietal onder schot neemt. Daarna glijdt de loop van de camera langs de opgewonden rijen, stopt bij ons (de bekeerde boeven) en neemt de tijd ons een voor een op te nemen — alsof onze smoelen nu al vastgelegd worden voor de latere slachtofferconfrontatie.

Het duurt niet lang, deze intro, maar laat een stofwolk van rumoer achter.

Een jongeman met een rode vlinderdas stapt kwiek het podium op, pakt de microfoon en zegt iets wat alleen door liplezers begrepen kan worden. Tikt tegen het ding, dat koppig zwijgt. En vervolgens, getergd, een schrille fluittoon loslaat die door het beenmerg zaagt. Foutje van Control? Het geluid stijgt en daalt, zwelt en krimpt tot het eindelijk de juiste golflengte gevonden heeft waarop Vlinderdas zijn welkomstwoorden kan uitzenden. 'Nogmaals goedenavond, mevrouw de burgemeester, leden van de gemeenteraad. En ook de andere dames en heren, jongens en meisjes die hier allemaal zijn gekomen om deze bijeenkomst luister bij te zetten.'

Het geluid is nog steeds verre van perfect. Er vallen gaten in de woorden, zodat het lijkt of Vlinderdas zelf niet helemaal gelooft in de geruststellende zinnen die de zaal zoet moeten houden. Het blijft onrustig, vooraan zit het hooggeëerd publiek nog met elkaar te babbelen. En het helpt ook niet dat de drie jongens van de band hun hand niet voor hun mond houden als ze gapen. Telkens weer zie je de gouden tanden blinken en bij de drummer glinstert zelfs een diamantje boven de onderlip (het lijkt wel of de man die de schijnwerpers bestuurt er geen genoeg van kan krijgen). Gapen die gabbers niet, dan staren ze wezenloos de zaal in.

Er staat nog één onbemande microfoon, dat wel. Maar geen Joop.

De spreker geeft beleefd het woord door aan de burgemeester, die op charmante wijze door de korpschef het podium op wordt geholpen.

Ze glimlacht (betekent: ik ben helemaal niet bang, hoor).

Haar hand met drie, vier gouden ringen tast naar een zak van haar bruine jasje. Tast... zoekt... en vindt niks. Bezorgde frons van 'Ik zal toch niet...' Nog eens zoeken, nu aan de rechterkant. Ook niets. Het gezicht — helwit in het verblindende licht van een schijnwerper — drukt paniek uit. Mond valt open (geen goud). Hand voor de mond geslagen. Zelfde hand verdwijnt in de boezem van haar jasje, zoekt links, zoekt rechts. Zonder resultaat. Ze bijt op haar pink, als een klein kind. Staart verbijsterd de zaal in. Dan, nog één keer rechts, en kijk, glimlach: papier! Ze houdt het velletje hoog in de stralenbundel (het lijkt wel of ze het in brand wil steken), vouwt het open, strijkt het glad. Knisperend geeft de tekst zich gewonnen. Weer een glimlach voor de zaal: 'Dit werkt altijd!'

Vooral in onze rijen wordt deze clownsact bijzonder gewaardeerd: 'Toch wel een cool wijf!'

Ze zet haar bril op en wordt oma. Een smal model bril dat rare schaduwen over haar poederwangen werpt. Hardop lezend struikelt ze over moeilijke woorden, blijft steken, zucht of de tekst met al die hoogdravende zinnen haar stierlijk verveelt. En kijkt opgelucht wanneer ze het krakende papier wegschuift en zich rechtstreeks tot ons richt, 'de moreel verzwakte jongeren waar het tenslotte om gaat'. En vervolgt: 'Het is *jullie* feestje, en dat willen we weten ook. Ik geef het eerlijk toe, wij hebben ons zorgen gemaakt toen we hiernaartoe gingen. Wij dachten, wat zijn dat toch voor meisjes en jongens die al zó jong veroordeeld zijn? Maar nu, hier en nu, gaan jullie al onze zorgen wegnemen. Jullie gaan ons vermaken, jullie zullen ons laten lachen en misschien wel een traantje weg laten pinken, wie weet, alles kan. Vanavond krijgen jullie de kans je van je beste kant te laten zien, laat ons genieten, laat zien wat je kunt, waartoe jullie in staat zijn. Jullie, jullie zijn vanavond de echte hoofdrolspelers.' Pauze, dan roept ze in de microfoon: 'Grijp die kans!' Ze knikt en doet tevreden een stap opzij. Een vriendelijk applaus begeleidt haar aftocht naar het trapje waar de snorren alweer klaarstaan. Een enkele wanklank: 'Bisbis!'

Gegrinnik achter het gordijn, dat traag, in slakkentempo, openritselt en wat er te zien is: niks nada.

Eindelijk komen drie mollige meisjes tevoorschijn die elkaar giechelend het podium op duwen. Het is niet duidelijk of dit tegenstribbelen ook bij de act hoort. Wanneer ze de gapende afgrond van de zaal zien, blijft het drietal verstomd staan.

Stoten elkaar aan.

Wijzen.

Roepen namen.

Reacties uit de donkere massa.

Vlinderdas beent het podium op en zegt overdreven boos: 'Dames, dames, alsjeblieft... Er zijn vreemde mensen bij.'

'Oja.' Ze stellen zich nu keurig naast elkaar op, rug recht, armen strak langs het lichaam, en zetten een weemoedig lied in. Onverstaanbare taal. Portugees ofzo? Het klinkt wondermooi, de zaal ligt aan hun voeten.

Als het voorbij is, zegt de kleinste: 'Dat zingen we elke ochtend als we onder de douche staan.'

Wild applaus. ('Kleren uit!') Dennis springt op en schreeuwt: 'Wij willen tie-ten zien.' Het wordt onmiddellijk door ons deel van de zaal overgenomen. De bewaking heeft de raddraaier meteen gespot. Ze pellen hem uit de rij en in één beweging geruisloos de gang op.

Het drietal begint weer te zingen. Ik houd niet van liedjes die je droevig maken. Ik vind ze te mooi.

Hoe langer ze zingen, hoe zekerder hun houding. Bij het laatste nummer laten ze de zaal zelfs meegalmen. Ik weet zeker dat de burgemeester beschaafd maar instemmend zit te knikken. Of met haar vingers knipt.

Het kost kennelijk moeite de angst voor zo'n halfdonkere

zaal, de onbekende gezichten, het geschuifel en gekuch te overwinnen. Niet onmogelijk dat Joop op het allerlaatste moment de moed verliest, kiest voor de goedgekeurde teksten of er gewoon vandoor gaat, onberekenbaar als hij is. (En ik hoor zijn stem: 'Ik ben een junk. Die kan je nooit vertrouwen, dat weet je toch?') Begon hij daarom vlak voor we naar beneden gingen over slechtheid, slechte dingen, en dat we al slaag verdienden voor we iets verkeerd hadden gedaan, vroeger?

Die vragen leiden me zo af dat ik me onmogelijk kan concentreren op de vingervlugheid van de goochelaar die nu optreedt. Zijn 'assistente', doorzichtig gekleed als buikdanseres, doet er met haar kronkelingen alles aan om de aandacht van het publiek naar zich toe te zuigen wanneer een truc in het water dreigt te vallen.

De danseres ontdoet zich van nóg een dunne, roze sjaal, het publiek klapt en kreunt, roffelt met de voeten, roept gore dingen in alle talen behalve het Nederlands, terwijl op de achtergrond Vlinderdas zichtbaar in verlegenheid het eind van het nummer afwacht. (Wat als ze daar werkelijk opeens spartelnaakt voor een volle zaal staat? Je kan ze nooit echt vertrouwen, die gasten, waar ben ik aan begonnen?)

Goochelaar af onder vrolijk boegeroep, 'assistente' beloond met 'bisbisbis' natuurlijk.

Vlinderdas kondigt opgelucht een muzikaal intermezzo aan.

De drummer en de twee gitaristen komen met professionele onverschilligheid het toneel op zwalken, nemen hun instrumenten in de aanslag en gaan ervandoor, dwars door het dak. Je kan van alles over ze zeggen maar het swingt, het knalt, de vloer trilt onder onze voeten. Na twee nummers keren de muzikanten terug naar de aardbodem, stomverbaasd over hun succes.

Vlinderdas noemt hun optreden 'pittig'. Hij geeft het woord aan een droevige jongen die gedichten over eenzaamheid, regen en goede voornemens voorleest. 'Ik ben geen slechte jongen, ik heb alleen slechte dingen gedaan.' Wat schuin achter hem gebeurt, is boeiender. Vlinderdas wordt aangesproken door een oudere groepsleider (type Kees) die dringend op hem inpraat. Vlinderdas schudt het hoofd. Omdat hij iets weigert? Omdat hij het met de man eens is? Die twee hebben blijkbaar niet door dat hun toneelstukje door de hele zaal gevolgd wordt. En daar verschijnt ook de Torkoe, in zijn groene pak. Zijn lippen bewegen wat minder paniekerig, maar ook zijn bericht lijkt niet vrolijk. Stennis boven, opstand van de afdelingen waar de onvrede broeit?

De onrust slaat over naar de zaal, ook omdat wij niet zeker weten of dit opgewonden gefluister wel of niet tot het programma hoort. Waarom staan ze anders zo opzichtig gebaren te maken?

De jongen beëindigt zijn voordracht en wordt beloond met een motregentje applaus.

Vlinderdas grijpt de microfoon, trekt een glimlach over zijn hoofd, zegt: 'Wat een talenten!' en kondigt in één moeite door een korte pauze aan. Hapjes en drankjes in de gang. De jongens en meisjes wordt verzocht rustig op hun plaats te blijven zitten; áls ze tenminste het tweede, nog spannender deel van deze toch al zo verrassende avond ook willen meemaken. 'Acrobatiek, rap, het kan niet op.' De microfoon fluit: 'Ben ik duidelijk voor iedereen? Dus *rús-tig* op de plaats blijven.' In het gangpad verschijnen de gorilla's, het lijken er nu wel twee keer zoveel.

De hoge gasten strekken de benen, schuiven en schuifelen in de richting van deuren waarachter tafels klaarstaan. Wij, wij mogen dus naar het geroezemoes en gesmoes blijven luisteren. En er valt zowaar nog wat te zien, want daar verschijnt op de planken een brandweerman in uniform, glanzende helm onder de arm. Hij buigt zich vooroveraan de rand van het podium om met de korpschef te praten. Het lijkt wel een gemaskerd bal! (Hoe heette die film ook alweer? Joop zal het weten.) Een zekere verbetenheid rond hun lippen. Als dit een spel is, dan spelen ze het overdreven goed.

Ik kijk, luister, maar geen spoor van Joop de Dope. Zouden ze hem dan toch nog van het programma geschrapt hebben? Wat we tot nu toe meegemaakt hebben is, afgezien van de kronkelige goochelaarsassistente, van een verstikkende braafheid geweest.

'De eerste keer dat ik in een hotel was, verheugde ik me op de verrassingen van de nacht. Niet alleen vanwege de donzen dekbedden − zoiets nooit eerder gezien; we kenden thuis en op alle andere adressen waar ik gelogeerd had alleen witte lakens en dikke dekens − maar vooral om 's avonds voor het slapengaan de schoenen buiten op de gang te zetten. Vuil, maar netjes naast elkaar, dat spreekt. Die zouden dan de volgende ochtend blinkend gepoetst terugkomen van hun uitstapje naar de kelder van het hotel. Daar verheugde ik me al op, dat je voorzichtig de deur opendoet en daar stonden ze met glimmende puntneuzen te wachten, aan de rand van de rode loper die naar de trap met de brede treden liep. Kon er bijna niet van slapen! Verwarde dromen, meer flitsen eigenlijk, je werd er dood-en-doodmoe van. En telkens die opwelling: even kijken of ze al terug zijn! Maar ik nam me heilig voor: niet eerder dan om zes uur 's ochtends gaan controleren.

Je hebt natuurlijk ook geen flauw idee van hoe het rooster van het bedienend personeel in zo'n groot hotel eruitziet, die lui zijn echt dag en nacht in touw! Je ziet ze feitelijk alleen voorbijschieten, met een fles wijn op een dienblad bijvoorbeeld, roomservice de klok rond. En dan, die honderden, misschien wel duizend schoenen en laarzen, allemaal een eigen label met het kamernummer erop, wat een gepoets en gedraaf moet dat wel niet zijn! Maar zonder lawaai of gerucht natuurlijk, de gasten mogen bij wijze van spreken niet doorhebben hoe goed ze bediend worden.

Toen ik dan eindelijk — ik *hield* het niet meer, de kamerdeur opende... Ja hoor, daar stonden ze, m'n hele leven niet zulke glanzend gepoetste schoenen gezien, het deed bijna pijn aan je ogen. En overal langs die lange, lange rode loper schoenparen op wacht! Je kon ze bij wijze van spreken allemaal passen. Wat heen en weer lopen, voelen hoe dat voelt, en dan weer netjes op hun plaats zetten voor hun eigen kamerdeur.

Maar...' hij giechelt, 'toen ik begon te lopen viel ik languit voorover, met mijn snufferd op de kokosmat! Bleken de veters aan elkaar geknoopt! Personeel heeft zo zijn eigen gevoel voor humor.

Ik had die lui de avond tevoren al zien lachen, elkaar aanstoten, je kent dat wel. Maar ja, er wordt altijd om ons geginnegapt, waar we ook bij elkaar komen. Zijn we gewend dus. Wij worden nu eenmaal makkelijk herkend, ons soort mensen...'

'Ga je lekker?' vraagt Brian agressief.

De pedo schrikt.

Hij is tijd en plaats vergeten.

Kijkt ons aan, een voor een.

Herkent ons niet.

Een hopeloos geval, te ver afgedwaald.

Hij klampt een zwarte zonnebril aan: of hij even naar achteren...?

'Vooruit dan maar.'

Loopt braaf mee, een onschuldig jongetje dat bescherming nodig heeft.

We zien hem niet meer terug.

X.

Eindelijk drommen de hoge gasten weer naar binnen.

Vlinderdas kondigt een dansnummer aan, tapdansen. Klepper-de-klep op de kale vloer. De lange benen van de twee meisjes weten nauwelijks maat te houden. Het lijkt eerder of ze elkaar klepperend op straat toevallig tegen zijn gekomen. Het bisgeroep blijft uit maar iemand zet zijn vingers in de mondhoeken en brengt een snijdend fluitgeluid voort. Een van de zwarte zonnebrillen zet een pas in zijn richting en maakt een dempend gebaar. Meer is niet nodig. Volgende keer betekent natuurlijk rode kaart.

Met een geheimzinnige glimlach wordt 'een bijzondere verrassing' ingeleid. Het gaat om een optreden waarvoor weken-, zelfs maandenlang in het diepste geheim geoefend is en waaraan ook enkele groepsleiders en leden van de staf hun bijdrage zullen leveren. 'We gaan hier dus met z'n allen een u-nie-ke première meemaken. Applaus!'

Onder een klaterend geklap verschijnt een bont gezelschap van jonge meisjes en groepsleidsters. Ze dragen allemaal kleurrijke hoofddoeken en even fraaie gewaden, het lijkt wel tropisch carnaval.

'Hoe heten jullie eigenlijk?' vraagt de spreker aan het meisje dat het eerst het podium op is gehuppeld.

'Ik heet Bonnie.'

'Nee, ik bedoel natuurlijk: als groep?'

Vragende blikken.

'Als zangeressen?'

Fluisteroverleg, elkaar aanstoten, zeg jij of zeg ik. 'Daar zijn we nog niet helemaal uit.'

'Daar zijn jullie nog niet helemaal uit. Dames en heren, jongens en meisjes, ik kondig dus aan: de groep-zonder-naam die hier enkele Surinaamse kinderliedjes ten gehore gaat brengen!'

Pas als ze een stap naar voren doet, weet ik het zeker. Het is Sandra, met een toeter van een tulband op haar zwaar opgemaakte hoofd. Huid veel donkerder dan de lichte tint die wij van haar kennen.

Daar had ze ons niets over verteld. Althans niet tegen mij. (Bittere gedachte: nog een wonder dat ze haar vriendje niet heeft meegenomen. Was de Torkoe natuurlijk tegen, die kent zijn gasten te goed.)

Terwijl ze zingen bewegen de vrouwen wiegend hun heupen zodat hun wijde rokken breed uitwaaieren. Wuivende palmen en een kalm kabbelende, zachtgroene zee. Het licht van de felle schijnwerpers past zich aan, strijkt mild over de glimlachende gezichten.

De klanken brengen een lome warmte mee, tevredenheid, rust. Het tropische landschap zoals mijn vader dat probeerde terug te halen. Een landschap zonder uitgebrande autowrakken, verlaten fabrieken of deuren die onrustig klapperen in de straffe wind.

Een droom dus.

Het is erger dan mooi, het betovert, je wordt in slaap gewiegd op de golven van de melodie.

Bij het vierde liedje wordt Sandra (onze Sandra, mijn Sandra!) door de andere koorleden naar voren geschoven.

Zij zingt solo.

Onbegrijpelijk dat een stem rauw van het vele roken zo hoog en zuiver kan klinken.

De zaal huivert.

Ik wil opspringen, naar voren rennen, mijn voorhoofd op haar voeten leggen. Want ze zingt alleen voor mij! Sandra beroemd zangeres. Stad en land afreizen, heel Europa door en verder, Zuid-Amerika. Japan. 'Hoe hou ik het vol?' roept ze soms. Ze hield het vol door de jongeman die haar dag en nacht begeleidde, haar koffers droeg, het vervoer naar de luchthavens regelde, haar kleren naar de stomerij bracht. Zorgde dat ze zich volledig aan het wonder van haar stem kon wijden. Dromen, maar zolang ze zingt zijn ze waar.

En elke middag zong ze alleen voor mij, in de stilte van de hotelkamer — shit, ik lijk de pedo wel!

Het applaus is overdonderend, het publiek staat op, fluiten, gillen en 'bisbis' natuurlijk. Ze zingen, zij zingt háár liedje nog een keer en opnieuw ligt de zaal aan haar voeten (in gevlochten sandalen).

En Sandra zou Sandra niet zijn als ze niet bescheiden bedankte, een kleine buiging (de tulband verbergt haar gezicht) en dan een stapje terug, alsof ze wil zeggen: klap liever voor de anderen, ik ben maar een instrument voor de klanken, meer niet. Of zoiets. Maar de meisjes omhelzen haar, ze is en blijft het hart van het koor-zonder-naam. Ook Vlinderdas gaat naar haar toe, een grote bos bloemen in de hand, en durft haar zelfs twee, drie vette zoenen te geven, de smeerlap. De gordijnen wuiven het laatste applaus weg.

Vier jongens lopen achteloos het toneel op.

Drie bodybuilders wier donkere huid scherp afsteekt tegen de lichte gymkleren. Plus een mokro in een blauw trainingspak; de hoodie houdt zijn kop nog verborgen (maar ik herken Hamid meteen, hoe heeft-ie dat gedaan gekregen?).

Ze stellen zich op achter de stalen halters die aan de rand van het podium zijn neergelegd.

Een lichte roffel van de drummer op de achtergrond, dan

wordt het stil. De schijnwerper isoleert het viertal. De drie negers staren de zaal in, armen strak langs het rechte lijf; de mokro bestudeert zijn rode sportschoenen.

Tegelijk buigen ze zich voorover, de benen lijken uit niets anders dan trillende spieren te bestaan, de blote handen grijpen de stang die de wielen — het moeten wel de wielen van een trein zijn — verbindt.

Diep door de knieën om kracht te zetten.

En vrijwel gelijktijdig omhoog, in een sierlijke boog.

Het gewicht valt nog te hanteren, al kan je in de stilte het hijgen horen.

Rustig houden ze hun prooi hoog, leggen hem dan uiterst beheerst neer.

Dat was één.

Ze doen een stap opzij, schuiven op naar een rij gewichten die er nog ontzagwekkender uitzien.

Stilte, wachten tot ze precies in het midden van de lichtstraal staan.

Het ritueel blijft hetzelfde: bukken, beetpakken en dan vanuit de kuiten, dijspieren, armen de lading omhoogstuwen.

Deze oefening verloopt al moeizamer (en er wachten nog meer martelwerktuigen in het donkere deel van het podium!). De Marokkaan komt een fractie later dan de anderen bij het toppunt van zijn kracht.

Ze houden vast, staan fier als elektriciteitsmasten. Ondergaan onaangedaan het gejoel van het publiek.

Laten dan de loden last langzaam dalen, een inspanning minstens zo zwaar als het opstoten want de zwaartekracht trekt het hele bovenlijf van de atleet met geweld naar de grond.

Dat was twee.

Het viertal maakt wat trappende en schuddende bewegingen om de spieren los te gooien. Uit het duister stapt het groene uniform van de Torkoe, die hun een vierkante bak voorhoudt. Zwijgend wrijven ze hun donkere handen droog met talkpoeder. De trage, zelfverzekerde bewegingen van de topsporter die zich zorgvuldig voorbereidt. Alleen de mokro weigert aan het ritueel mee te doen. Weert af: izz niet nodig.

Vlinderdas stapt naar voren. 'En dit was nog maar een fluitje van een cent vergeleken met de laatste uitdaging, de meesterproef.' Hij noemt een duizelingwekkend aantal kilo's, de zaal doet 'oh...'. Zelf heeft hij het ook nog geprobeerd, bekent hij, en wrijft met een gepijnigd gezicht over zijn bovenarmen. De jongens, ondertussen, worden niet kalmer van dit uitstel, ze maken onrustig pas op de plaats. 'En daarrrom vraag ik u om de grootste stilte tijdens deze bijkans bovenmenselijke krachtproef, zodat deze mannetjesputters zich volledig kunnen concentreren op hun bijna onmogelijke taak.' Op zijn tenen verlaat hij de planken, vinger op de lippen.

Tromgeroffel.

Vier paar armen reiken naar de grond, de handen klampen zich vast aan de stalen stang die de kolossale gewichten verbindt.

Een van de negers krijgt het ding het eerst van de grond, snuivend door de brede neusvleugels. Het gaat tergend traag, met lichte schokbewegingen die de schommelingen van het staal moeten corrigeren. Langzaam vinden de beenspieren hun houvast. Ze zijn al gestrekt, aders strakgespannen.

Het gewicht aarzelt nu onder de vooruitgestoken kin. Een voet verstapt zich, het lichaam wankelt, de neusgaten snuiven verbeten zuurstof naar binnen, de borst pompt het bloed naar de spieren.

Dan, even traag, begint de overgave.

Het staal heeft gewonnen.

De verliezer laat los nog voor de vloer bereikt is.

Een doffe dreun beukt de planken van het podium, gevolgd door de teleurgestelde zucht van het publiek.

De jongen gaat er verslagen naast zitten. Schudt het hoofd. Veegt het voorhoofd droog met de rand van zijn witte T-shirt met in rode druipletters: T-PAIN.

De twee overgebleven negers willen het anders aanpakken.

Ze gaan tegenover elkaar staan.

Kijken elkaar in de ogen, coachen elke inspanning alsof ze daarmee het gewicht kunnen halveren.

Het werkt, de halters passeren in één soepele beweging de kin (terwijl de magere mokro nog niet verder dan zijn heupen is gekomen).

De bovenarmen, glimmend van het zweet, zwellen op tot donkere spiermassa's die duwen, persen, terwijl de tanden bloot komen in een dreigende grijns. De ogen, oogballen, lijken hun kassen te willen verlaten als de halters ter hoogte van het voorhoofd zijn gekomen. Er is niets anders hoorbaar in de zaal dan krampachtig snuiven, de gierende ademhaling. De zaal steunt in stilte.

De haarlijn gepasseerd, nu moeten de benen stokstijf blijven om de armen nog meer kracht te geven. De ellebogen komen omhoog, de bicepsen beginnen trillend de strekbeweging die het gewicht in triomf boven het hoofd moet stuwen.

Gejoel, 'Give it to them, man.'

Gillende meisjesstemmen hitsen de helden op.

Een enkel die scheef gaat, de voet wankelt, het gewicht glijdt uit de glibberige handen en bonkt op de weerloze planken van de holle vloer.

Ook de laatste zwarte krachtpatser geeft het op nu zijn medestrever de macht over het krankzinnige aantal kilo's kwijt is. Zij gaan op de grond zitten, hoofd voorover, staren naar het zweet dat op de planken druppelt.

Anticlimax, een gitaar slaat een zielig slotakkoord.

De enige die nu de strijd met de zwaartekracht nog niet heeft opgegeven is Hamid.

Hij, die eerder moeilijk mee kon komen, denkt het gevecht te winnen door een bijna onmenselijke beheersing van zijn spierbundels. Centimeter voor centimeter stijgt de halter. Er is geen hapering, verandering van positie of ander teken van verslapping.

Het gevaarte passeert rustig-rustig, in het tempo van een rups, knieën, heupen, borst. Nu nadert de stang kin, neus, voorhoofd en pas dan wordt de inspanning zichtbaar op het gelaat van de Marokkaan. De onderkaak omhoog alsof de nekspieren de last verder moeten sturen. Ogen krampachtig gesloten, ook zijn gedachten duwen mee.

Als hij de grens van de drie anderen voorbij is, gaan we staan. Millimeter voor millimeter kruipt het staal tegen de zwaartekracht in.

Het enige wat wij horen is een zacht zoemend geluid alsof hij alle goden van het Rifgebergte aanroept om zijn rug- en armspieren te versterken.

En eindelijk blijkt de last de haargrens gepasseerd. Er klinkt al gejuich, zijn naam wordt herhaald: Ha-mid, Ha-mid, Ha-mid. Maar de ogen zien niets meer, het gezicht is één verscheurde grijns geworden.

Toch lijkt het erop dat deze aanmoedigingen hun werk doen bij het laatste stuk van de taak, het moeilijkste: het strekken van de getergde onder- en bovenarmen.

De drie negers staren wezenloos de zaal in, alsof ze de verbeten triomf van deze Hamid, die slungelige kunstenmaker, niet aan kunnen zien. Ze hebben hun spieren gestaald en nu verliezen ze van een spriet.

De meisjes gillen nog schriller, de jongens trappelen met hun Nikes en steeds weer die naam die tegen het plafond bonkt als hij eindelijk het toppunt bereikt. Daar staat hij, wijdbeens, een gezicht dat de pijn van zich af schudt om te smelten in de glunderende glimlach van een kind dat op zijn verjaardag alles kreeg wat hij gevraagd heeft. Aandacht, liefde, respect — vooral dat laatste.

Hij blijft zó lang in deze houding staan dat het publiek bang wordt: spieren verkrampt, vingers vergroeid met het koude staal, voeten voorgoed verankerd in de plankenvloer. En ook de grijns heeft zich nu vastgezet, een griezelig gezicht.

Hij wacht tot het applaus, roepen, stampen iets in hevigheid afneemt. Dan gooit hij opeens het hoofd achterover, de hoodie glijdt weg en wij mogen de overwinnaar in al zijn glorie bewonderen, Ha-mid, Ha-mid, Ha-mid.

Vandaag zijn de Berbers de baas.

Het bovenlijf, de bijna kinderlijke borst die uitsluitend uit verborgen spierkabels moet bestaan, helt licht achterover. Onbegrijpelijk dat iemand nog de kracht bezit om dit gewicht boven zijn macht zo beheerst de baas te blijven.

Nog verder wijken de armen naar achter, het hoofd volgt de beweging alsof het wordt meegetrokken. Wat is hij aan het doen, breekt dan eindelijk zijn weerstand, heeft hij zijn kracht overschat? Op de achtergrond verschijnt een groene schim, de Torkoe aarzelt: ingrijpen, helpen?

Of is dit een eerbewijs aan de Allerhoogste, die zijn onmenselijke inspanningen heeft begeleid, een ritueel uit de Marokkaanse bergen?

We zien de onderkant van de puntige kin, de halter hangt halverwege de schouderbladen, zijn buik wijst bijna onzedelijk naar het publiek in de zaal, wat moet de burgemeester...

Het gebeurt zo vliegensvlug dat de actie iedereen verrast.

De boog van het lichaam zwaait in één zwiepende lijn terug, het projectiel ontglipt aan de verkrampte vingers en schiet bevrijd door de lucht, verliest snel hoogte om te landen op de voorste rijen en daar angst en paniek te zaaien.

Omtuimelende stoelen, gegil.

Iemand schreeuwt: 'Nee!'

Maar al snel golft opluchting door de rijen. De korpschef houdt de boosdoener omhoog, zijn snor krult geamuseerd. De 'halter' blijkt niet meer dan een bezemsteel met wielen van papier-maché aan de uiteinden. Ook de burgemeester staat er met een opgewekt gezicht bij, al klopt ze met haar handen wat al te woest het stof van haar jurk. (Toch een moment van doodsangst toen het projectiel recht op haar af vloog? Staat ze daar nu haar paniek weg te klappen?) Cool, deze stunt van Hamid, niemand kan hem iets maken. Integendeel, deze opeenvolging van paniek en opluchting heeft de stemming er pas echt in gebracht.

Hamid maakt een hoffelijke buiging, pal voor de burgemeester, bedankt met een brede zwaai het publiek en danst weg.

Als ook de drie verslagen negers het podium verlaten — in de pooierspas, zwaaiend van links naar rechts of ze de planken schoon willen vegen — verschijnt opeens in de coulissen de clownskop van Joop de Dope.

Eindelijk.

De gordijnen sluiten zich, daar is de spreekstalmeester weer, zijn kop even rood als zijn vlinderdas. Puffend en met overdreven gebaren het voorhoofd afvegend: 'Wel, dat moet dus ook kunnen natuurlijk. Dit is echt wat je noemt: — hij kijkt olijk de zaal in — 'kunst- en vliegwerk.' Die rare uitdrukking herhaalt hij nog een paar keer, genietend van zijn eigen vondst.

Hoewel het in de zaal wat stiller is, op de opwinding volgt een lichte uitputting, ik zie niemand praten, zoemt er toch enig rumoer. Eerst denk ik dat het geluid van onder de grond komt, net of er onder het gebouw een spoorlijn is aangelegd.

Maar opeens dringt het tot mij door: het zijn de afdelingen boven, die het verloop van de feestavond proberen te volgen en meeleven. Hun lawaai is een echo van de emoties die hier beneden door de zaal gierden. Ze liggen misschien wel met hun oor op de vloer, geven de geluiden een naam — al moeten ze het natuurlijk doen met tweedehands reacties. Het zal niet simpel zijn voor groepsleiders als Kees om die onrust in bedwang te houden.

Het geroezemoes van boven heeft op zijn beurt tot gevolg dat de zaal baldadiger wordt, zodat Vlinderdas met zijn nagels tegen de microfoon moet tikken om de menigte bij de les te houden ('Het mooiste komt nog!'). Ik vraag me af of het beveiligingscomité rekening heeft gehouden met dit soort geluidseffecten. Het gebouw heeft oren gekregen, het maakt zijn eigen programma.

'Een feest als dit zou niet compleet zijn,' gaat Vlinderdas wat verstoord verder, 'zonder de bijdrage van een kunstvorm die bij jongeren in en buiten deze instelling buitengewoon populair is. Heel wat jongens — want het zijn vooral jongens — beoefenen deze kunstvorm met meer of minder succes, maar zonder uitzondering met gróte inzet. Het heeft onze commissie dan ook veel inspanning gekost — ik ben erbij geweest, dus kan het weten — om uit het rijke aanbod een verantwoorde keus te maken. U begrijpt dat ik het natuurlijk heb over' — hij kijkt of hij iets vies zuurs proeft — 'rap songs. Soms zijn de woorden grof, veelal is de tekst agressief.' Glimlach: 'Wij moesten dus heel wat geweld over ons heen laten komen. In dat verband zou ik graag voor dit gezelschap hier iets aardigs vertellen.'

Hij praat, maar kijkt niemand aan. Je ziet dat de spiegel zijn beste vriend is. 'Want mochten we nog enige reserve hebben gekoesterd, dan is die weggenomen door het verbazingwekkende feit dat ook... de minister van Justitie, jazeker, u hoort het goed: onze eigen *minister* van Justitie, zich aan de zogenaamde kunstvorm heeft bezondigd. Zijn refrein wil ik u niet onthouden.' En hij draagt gniffelend voor: 'Hier spreekt Donner van Justi-tie,/ Ik doe het samen met poli-tie./ Ja, de drugs gaan van de straat,/ Er komt actie na gepraat./ Blowers, neem daarvan noti-tie!' Deze tekst, die mij vaag verontrust, wekt weinig reactie. De jongens in de zaal snappen er niet veel van en het deftige publiek vraagt zich vast en zeker af of het om een grapje gaat: een minister van Justitie aan de rap?

Volgt een lang en ingewikkeld verhaal over hoe hij de neef of kleinzoon van de minister persoonlijk heeft gekend, misschien zelfs wel de minister zelf, toen die op weg was van de salon naar zijn studeerkamer. Betekent: kijk eens hoe belangrijk ik ben. Of misschien is deze blabla alleen bedoeld om het publiek ongeduldiger te maken. En dat lukt aardig.

Van boven dringt opeens een heftig geluid tot ons door, knal of bons, een bom of zwaar meubel dat met geweld tegen de grond wordt gewerkt.

We kijken elkaar aan.

Ik weet wat er zich boven onze hoofden afspeelt: zij, de achterblijvers, begrijpen onze stilte niet, ze willen horen, meeleven, meemaken, erbij zijn.

Ook Vlinderdas, hoe verloren ook in herinneringen aan belangrijke personen, komt tot zichzelf want snel gaat hij door. 'Maar zoals ik al zei: rap, dat is het medium van de jeugd van tegenwoordig, het is hún muziek — zoals graffiti hún schilderkunst is. En omdat het vandaag hún feestje is, wilden wij aan deze hedendaagse kunstvormen of hoe je ze ook wil noemen, niet voorbijgaan. En echt, het leek wel of deze... of dit hele gebouw tot de nok toe volgeladen zat met talentvolle rappers, van wie we later vast en zeker nog heel wat zullen horen. Ten slotte viel dan toch nog unaniem de keus op de zanger die zichzelf typeert als... Joop de Dope!'

De gordijnen splijten, omringd door de zwarte band springt de spierwitte stengel naar voren en in dat éne moment heeft hij al zijn plankenkoorts overwonnen. Trekt gekke bekken, schudt een gebalde vuist, stuitert of-ie onder stroom staat, maakt kortom meteen zoveel stennis dat het publiek de teleurstelling wel moet verwerken dat hier in plaats van een brede Suri een bleekscheet optreedt. Bovendien, iedereen kent Joop, hij zal zijn eigen showtje maken.

De muziek vindt het beukende ritme, laadt de spanning op tot Joop himself de microfoon pakt en — hij heeft kennelijk goed geoefend — in het razende tempo van een professional maar toch voor iedereen verstaanbaar zijn (onze) lyrics de zaal in slingert:

Ik ben helemaal alleen
Niemand begrijpt me om me heen
Hun zeggen: jij bent een crimineel
Omdat ik hossel en steel
Toch verlang ik naar vrijheid liefde blauwe luchten
Maar hier moet ik alle dagen zuchten, oh yeah!

Dit eerste couplet klinkt nog vrij kalm. Er is verlangen, nog geen opstand. Het ritme smacht, maar jankt niet.

Volkomen onverwacht dan ook de woorden die deze blanke rapper daarna spuugt in de knetterende microfoon, die hij met zijn vuist omknelt:

Wij zijn niet goed en
Wij zijn niet slech!
Wij zijn de slachtoffers
Van het rech!
Fuck politie!
Fuck justitie!

Het komt hard aan, een mokerslag op het trommelvlies van de burgemeester en al die andere hoge gasten die hier schorriemorrie komen bezichtigen. Ik heb Joop bezworen dat

hij geen langere pauzes moet inlassen, doorgaan dóórgaan,
zolang je zingt zullen ze er niet tussen durven springen. En
dus jaagt de moordende muziek hem voort:

En al doe je rustig en gewoon
Je blijft de junk of de allochtoon
Je bent niet te vertrouwen
En kan geen toekomst bouwen
Ik wil weer weten wat vreugde, vrijheid is
Ik wil niet wegrotten in deze fokking jeugdgevangenis!

En weer knalt het tegen het plafond:

Wij zijn niet goed en
Wij zijn niet slech
Wij zijn de slachtoffers van het rech!
Fuck politie!
Fuck justitie!

De zaal begint zich al te roeren. Op de voorste rijen protest, de korpschef zet er zijn pet voor op. Maar de jongens en
meisjes die om hun goede gedrag gekozen zijn, ze pakken het
op, het is hún stem.

Het tempo wordt rauwer, de beat harder, de rapper en zijn
trio weten dat ze nog weinig tijd hebben voor de stekker
eruit wordt getrokken. Joop stort zich in het laatste couplet,
dat hij bijna helemaal zelf verzonnen heeft, en gooit dus alle
lucht uit zijn longen. De man met de videocamera die op het
podium staat te filmen doet haastig een paar stappen terug.

De ijskap smelt
Het water komp tot onze neus
Wij hebben geen andere keus
Wij gebruiken geweld
Als je ons zo lang wil binnensluiten
Dan slaan we aan het muiten muiten muiten

En wat volgt wordt al door onze rijen meegezongen:

Want wij zijn niet goed en

Wij zijn niet slech
Wij zijn de slachtoffers van het rech!
Twee, drie seconden en dan de brullende climax:
Fuck politie!
Fuck justitie!
Joop hoeft het niet te herhalen, de zaal neemt het juichend over. En deze keer volgt er meteen een echo. Want niet alleen de slachtoffers van het recht hier beneden, ook de achterblijvers op de bovenverdieping stampen mee, het is het gebouw dat dreunt en bonst en beukt, steeds weer datzelfde refrein dat een kordon om de zaal legt, dichterbij komt, ons omsingelt. Op de ontketende afdelingen hebben ze zelf al slagwerk gevonden. Het moeten deksels van pannen zijn die met geweld tegen de vloer of het houtwerk worden geramd. Stoelen die op de grond kapot worden gesmeten, banken met de poten omhoog. Het lawaai vermenigvuldigt zich razendsnel, de doffe klappen en de ketelmuziek slopen de afscheiding tussen boven en beneden, een orkaan van lawaai steekt de kop op in de holle gangen.

En het is juist de onzichtbaarheid van de razernij die zich opmaakt voor de sprong, dat je de woede hoort maar nog niet in het gezicht kan kijken, dát jaagt de angst aan. De beschaafde toeschouwers vooraan klampen zich vast aan hun stoel, opeens passagiers in een vliegtuig dat gierend uit de koers zwaait. De muziek breekt af midden in de aanloop tot een nieuw couplet, de zwarte bandleden staan op en zwaaistappen in de richting van Vlinderdas die zijn glimlach verliest en wegvlucht in het duister van de coulissen. De korpschef springt kordaat het podium op, wíl op het podium springen maar zijn been glijdt weg, de snorpunten steigeren en hij valt terug. Boven ons roffelen honderden voeten de dans van het oproer, woede, haat. Ze zingen door, krijsen, gillen, steeds weer dezelfde fokking woorden.

Op het podium verschijnen twee, drie donkere zonnebrillen die de korpschef naar boven hijsen, de man bestudeert verontwaardigd een gescheurde broekspijp. Door een zijdeur wordt geruisloos de feestjurk van de burgemeester afgevoerd. De zwarte kleerkasten rennen weg, blaffen bevelen in hun microfoontjes, toonbeeld van totale paniek.

Joop de Dope is de enige die op de planken overblijft, een geraamte dat een waanzinnige dans inzet op de golven van een onhoorbare melodie, schok-springend beweegt hij voort, het gelaat vertrokken in een trotse grijns. Wat jammer dat de videoman dit niet meer vast kan leggen. De camera ligt geblesseerd op de grond. Joop bukt zich, grijns bereikt zijn oren, hij pakt het apparaat op en gaat pal voor de bezoekers staan en begint hun ontreddering te filmen.

Alsof dat het teken is, zoeken de hoge gasten massaal een uitweg, ze vormen een opstopping bij de deuren, waar ze tussen en onder de criminelen beklemd raken. Niemand weet wat te doen, tot een woeste meid 'bisbis' begint te roepen en ook deze handgranaat explodeert, boven en onder wordt de kreet overgenomen door het onzichtbare koor dat het haatrefrein herhaalt en herhaalt en blijft herhalen. Er is geen verschil tussen hoog en laag meer, de dunne scheiding is zingend afgebroken.

Ik blijf zitten.

Wachten tot er wat speling komt in de menigte die zich door de deuropeningen wil wringen om de veiligheid van de gangen te bereiken. Iedereen schreeuwt moord en brand en schandaal.

Pas als de zaal vrijwel leeg is, sta ik op. Het rumoer zwelt aan als je de gang nadert, en meteen stuit je op een prop van armen en benen die de vrije doorgang blokkeert. Op sommige plekken wordt gevochten maar de echte veldslag vindt plaats onder de hoge cockpit van Control. *Onder* de donkere ruiten van Control, precies de plek die zij met hun geniepige camera's, waarmee ze ons dag en nacht in de gaten houden, niet kunnen zien. Er wordt geschreeuwd, gehuild, gescholden door dames in dure pakjes die naast hun verslagen mannen zijn neergeknield. Verloren tegen een plint ligt een zonnebril, het linkerglas gitzwart, de rechterkas leeg; poten verbogen, een bijna zielig gezicht.

Omdat er geen doortocht mogelijk is zonder partij te moeten kiezen, doe ik twee, drie stappen terug. Probeer rustig te blijven, Ronnie. Agressie Regulatie Training. Tel tot tien en dan je situatie analyseren. Wat ik opmerk zou komisch lijken als het niet zo fataal was: de kracht van het gebouw blijkt nu het meest kwetsbare punt. Van bovenaf gezien vormt onze gevangenis een grote letter X, de trotse luchtfoto staat in elke folder van de inrichting. Het gebouw bestaat eigenlijk uit twee lange gangen die elkaar in het midden kruisen en daar waakt dan ook Control. Maar op dat knooppunt is nu juist de grote verstopping ontstaan van gasten en jonge criminelen die geen enkele kant meer op kunnen. Ze drommen tegen elkaar op alsof Control een geheime ontsnappingsroute bewaakt. En de aanwezigheid van het hoge bezoek verhindert dat de bewakers, al dan niet ingehuurd, er ongeremd op los rammen of de brandslang erop zetten. Het gezag en de rebellen zijn tot elkaar veroordeeld, wat een aangename kennismaking van autoriteiten met het geteisem had moeten worden ontaardt in een wurggreep.

De paniek wordt verdubbeld door de beestachtige geluiden die van boven blijven komen. Knallende deuren, onverstaanbare bevelen en steeds weer die spreekkoren waarmee het gezag wordt bespot. De pleuris regeert. Het kan zijn dat er nu al hele afdelingen zijn losgebroken want de vechtende massa onder Control groeit aan en er blijkt geen enkele mogelijkheid voor de ingesloten bezoekers om aan deze epidemie van haat te ontsnappen. Van buiten komt het gejank van sirenes maar de aanstormende hulptroepen raken onmiddellijk verstrikt in de kluwen beschaafd publiek plus vechtersbazen. Daar kan je niet zonder ongelukken een lading traangas doorheen jagen.

Ik kijk op afstand toe.

Niet zonder leedvermaak.

'Jullie probleem is,' zei de aardige psychologe (die het niet lang bij ons uithield), 'dat jullie leven in het nu. Net als kinderen. Nu dope, nu fun, nu seks. Nu en anders niets.'

Pas op dit moment weet ik het antwoord: 'Als het verleden kut is en je hebt geen toekomst, waar moet je dan anders leven dan in het nu?'

Er zijn andere gevoelens maar ik krijg geen kans daar lang over na te denken, want er komt een oudere vrouw op mij af schuifelen: 'Doen ze dat expres?'

Moeilijke vraag.

Ze verduidelijkt: 'Hoort het erbij, bedoel ik, bij deze' − ze giechelt − 'bij het feestprogramma van de bonte avond?'

Nog lastiger vraag. 'Ik denk van wel.'

Ze geeft een speels kneepje in mijn bovenarm: 'Dan is het goed.'

'Al is het wat verder gegaan dan we dachten.'

Daar denkt ze over na. In het dikbepoederde gezicht zijn nauwelijks rimpels te zien. 'Ik ben zelf toneelspeelster geweest, dus ik weet hoe dat gaat soms. Het loopt uit de hand, zullen we maar zeggen.' Daar moet ze smakelijk om lachen, om die uitdrukking.

'Maar het is nu bijna afgelopen, denk ik.'

'Jammer,' zegt ze dapper.

Ze hangt aan mijn arm. Waar moet ik met haar heen?

We komen in een gedeelte van de gang dat leger is, want verder weg van de zenuwknoop onder Control.

Er moeten, volgens de logica van de ontwerpers, aan de uiteinden van de gangen deuren zijn die naar de openlucht leiden. Het is of ik de frisse tochtstroom al voel. Met de oude dame als schild schuif ik tegen de stroom in en dan blijkt dat ook anderen de plattegrond van het gebouw doorhebben. Achter mij hoor ik zelfs de stem van de Torkoe: 'Terug, terug.' Hij wordt omringd door een gehavende groep bezoekers die slaafs zijn groene pak volgen. Aan het eind van de gang houdt hij het magische kaartje tegen de deurpost en het glas wijkt gehoorzaam.

Opeens staan we zomaar buiten, de avondlucht verrassend koel aan de slapen na de benauwdheid van het bonte feest. Gras onder onze schoenen. Schimmen bewegen zich schichtig over het sportveld en de sintelbaan. Schipbreukelingen eindelijk op het droge. Als de deur waardoor we ontsnapt zijn zich weer sluit, lijkt het oproer opeens ver weg, niet heftiger dan het geruststellende geruis van een autoweg in de verte.

Frisse avondlucht, met een geschroeid randje. Zo ruikt vrijheid dus.

Zonder teken flitsen de schijnwerpers rond het sportveld aan. Het blijkt dat deze binnenplaats al aardig wat vluchtelingen heeft verzameld. Ze staan in groepjes gebarend te praten of lopen rond met een mobiel tegen het oor. Verontwaardigde berichten aan de buitenwereld, ongehoord, een schandaal, ja. Mogelijk doden, door het gedrang of op een andere manier onder de voet gelopen. Diepgaand onderzoek, jazeker, de onderste steen boven.

De Torkoe is een helgroen baken in een zee van licht te midden van zijn angstige kluit. Hij heeft mij wel opgemerkt, maar reageert niet. De vrouw die ik bescherm tegen het geweld maakt mij ongevaarlijk.

Een helikopter scheert laag over het gebouw, waar het tumult nu bijna weggestorven lijkt. Men begint al te klagen over de kou, het gebrek aan coördinatie. De Torkoe kalmeert: harder ingrijpen te riskant. En terwijl hij rustig uitlegt, gebeurt het. Niet op de manier die Joop beschreef toen hij die film in zijn eigen woorden weergaf. Er is geen sprake van dat eerst de lichten op één plek doven en dat de duisternis schoksgewijs het gebouw verovert. Een split second, meer niet. Waar tientallen lampen brandden, is het nu donker. Dat is het.

Kreten die tegen het glas van de gangen spatten, het lawaai dat zich verdubbelt en verdubbelt omdat het geen uitweg vindt.

En gek genoeg doet het denken aan het gegil dat je hoort in attractieparken waar een raket met bezoekers de duisternis in schiet, het zwarte gat, Space Mountain.

Een vijand groeit als je hem niet kan waarnemen en hij dus overal kan opduiken en toeslaan. Zelfs de meest nuchtere mensen verliezen elke beheersing en worden weer een kind dat in het stikdonker wakker wordt.

'Het wordt steeds spannender,' zegt de vrouw die langzamerhand een verlengstuk van mijn arm is geworden.

Ze wil nog meer vertellen, misschien haar hele levensverhaal, maar ook zij merkt hoe het gillen daarbinnen zich verplaatst. En ook dat doet aan een pretpark denken. Als je buiten bij Space Mountain op je beurt wachtte, kon je de angst van het publiek volgen. Eerst de kettingen die de raket moeizaam naar boven takelden, het hoogste punt waar de machine op adem moest komen, dan het weeë gevoel in je maag en de val recht het donker in, schijnbaar zonder rails of vaste baan, blindelings.

Een grote man met rood aangelopen wangen begint heftig op de Torkoe in te praten. Steeds weer dat ene woord: noodaggregaat.

'Natuurlijk is er een noodaggregaat, meneer.'

'Maar het werkt dus niet.'

'Er zijn kennelijk wat technische problemen.'

'Dat snap ik ook wel. Wanneer is de laatste controle geweest? Hoe vaak houden jullie oefeningen? Wat gebeurt er precies bij die oefeningen? Hoe vaak controleren jullie het noodaggregaat? Wanneer was de laatste keer dat —'

'Ik zal het voor u nakijken, meneer.'

'Daar hebben we nu niks aan.'

'Dat begrijp ik.'

'Waar staat het noodaggregaat eigenlijk?'

'Dat zou ik niet meteen weten, meneer.'

'Wát, hoofd beveiliging en niet eens weten waar het noodaggregaat zich bevindt? Vitale informatie! Wat is dit hier voor een —'

'Dat is meer iets voor de technische dienst, meneer, het spijt me.' Alleen aan de trilling in zijn wang zie je dat de Torkoe de grootste moeite moet doen om sociaal wenselijk te blijven.

Je voelt dat de man hem eigenlijk wil beledigen, iets smerigs over Turken ofzo. Weet je wat ze met jullie moesten doen? Ontslaan, allemaal. Op staande voet. Volslagen onbekwaam. En dat tuig dat jullie moeten bewaken, wat ze daarmee mompelmompel. Maar ik versta: 'Beter nooit geboren kunnen worden.' En luid, tegen het hele grasveld: 'Wat hier gebeurt is ongehoord. On-ge-hoord.' En hij verwijdert zich met grote stappen. 'On-ge-hoord.'

'Wat is er?' vraagt de vrouw. 'Je trilt helemaal.'

'Het is...'

De helikopter wiekt de woorden weg, keert en blijft boven het veld hangen, we wijken uit naar de rand. Statig daalt het ding en zet zich vierkant neer.

Twee, drie mannen in uniform springen eruit, het publiek stroomt toe. Toch is er geen gedrang. Zelfs de ongehoorde man houdt zijn lip. De uniformen mengen zich onder het publiek, zoeken 'vrouwen en kinderen eerst'.

Een redder komt recht op mijn mevrouw af: 'U kunt mee.'

'Deze jongen ook.'

Huisknecht. Zo nu en dan wat boodschappen doen. 's Avonds samen televisiekijken. Butler dus eigenlijk.

Korte blik: 'Dat zal niet gaan.'

'Dan blijf ik ook hier.'

'Wij zijn verantwoordelijk, mevrouw.' Hij pakt haar arm. Ze verzet zich maar heeft te weinig weerstand. Ze vraagt nog: 'Hoe heet je, ik weet niet eens hoe hij heet!'

'Ronnie.'

'Ronnie hoe?'

We naderen de helikopter. 'Wat?'

'Ach-ter-naam.' Haar gezicht is lijkbleek in het onbarmhartige licht van de schijnwerpers.

'Ronnie Leerdam.'

'Leerdam? Leer-dam?' De schuifdeur knalt dicht. De motor giert.

Ik zie haar witte gezicht voor de verticaal stijgende ruit, ze drukt haar wang tegen het glas. Kusmondje. Ze moet er zelf om giechelen en wij houden elkaar vast met de ogen, het is als een lange draad die zich ontrolt, hoger en hoger, steeds dunner tot hij breekt als de helikopter met een scherpe bocht over de polders verdwijnt.

Ik heb haar adres niet.

Zij zal vergeten hoe ik heet.

Ik kan haar niet schrijven.

Zo vluchtig en voorbijgaand en toch doet het pijn.

Het enige wat achterblijft is een vleugje zoet poeder en ook dat kan verbeelding zijn.

Kort daarop komt dezelfde heli of een andere terug.

Ze is er niet bij.

Het inladen verloopt steeds vlotter.

De ongehoorde man is een van de laatsten. Hij heeft nu weinig meer te klagen want het noodaggregaat is gevonden en functioneert. En met het herstel van de verlichting ebt het geweld weg. Nog een enkele ruit die eraan gaat. Het gekrijs van een paar meisjes die blijkbaar ook de vluchtweg naar het sportveld hebben ontdekt en vervolgens weer vliegensvlug worden afgevoerd.

'Moet jij ook mee?' vraagt een van de redders uit de helikopter.

'Nee, die blijft hier,' beslist de Torkoe, die nu een knetterende walkietalkie van een ouderwets groot model tegen zijn oor houdt.

Op het steeds legere veld komen de overblijvers bij elkaar staan.

De laatste die vertrekt is de korpschef. De sierlijke punten van zijn snor wijzen nu naar de grond en kennelijk is hij tijdens de schermutselingen zijn pet kwijtgeraakt. Voor hij instapt roept hij nog: 'Ik laat het nu aan jou over.'

De Torkoe knikt: 'Wij spreken elkaar morgen wel.'

'Dáár kun je wel op rekenen ja,' zegt de korpschef. Zijn schouders verraden zijn woede als hij instapt.

'Kom,' zegt de Torkoe en draait zich om.

Hij noemt me niet bij de naam, een slecht teken.

Ik volg hem naar de deuren waar twee bewakers wachten. Ik loop gewoon mee, ze denken vast dat ik een bezoeker ben!

Als we binnenkomen blijft de Torkoe abrupt staan.

Het is ook een indrukwekkend gezicht, dit resultaat van een veldslag.

Een open riool waarin het afval van een hele dag is achtergebleven.

Wat het eerste opvalt, naast de platgetrapte plastic bekertjes, is dat overal de kleurenfoto's van sportdagen en andere opgewekte activiteiten van de muur zijn gerukt en tot puzzelstukken verscheurd.

'Zo,' zegt de Torkoe nuchter, 'die rotzooi mogen jullie morgen zelf opruimen.'

Nu weet ik het zeker: hij is pislink. Een kille razernij die ik niet ken. Ik die alleen met blinde woede ben opgevoed ('Ja, ik gebruik mijn handen. Mijn handen is het enige wat ik heb'). Zijn kinderen moeten doodsbenauwd voor hem zijn.

Het glas, het glaswerk knerpt opgewekt onder onze kleverige zolen als ik zijn driftige passen door de onttakelde gang volg. Als we Control naderen, durf ik bijna niet te kijken. Van de cockpit, het zenuwcentrum van de inrichting, is geen ruit meer heel. Rode, blauwe, witte draden slingeren zich uit de oogkassen naar beneden alsof ze in paniek een uitweg hebben gezocht. Er zijn sporen van brand zoals ook op andere plaatsen zwarte vegen zijn achtergebleven.

Boven gonst het nog, en hoe kan het ook anders in een gebouw dat nog natrilt van het geweld?

We naderen de uitgang waar journalisten wachten op commentaar. Zwaailichten op het parkeerterrein waar een knalgele helikopter staat te wachten op gewonden en andere slachtoffers. Een brandweerauto, ME'ers met schilden, het is allemaal net echt. En toch heb ik het gevoel dat ik zo tussen al die uniformen (donkerblauw, zwart, het groene pak van de Torkoe) door kan lopen. 'Een rustige jongen, niets op aan te merken. Geen relschopper, wij dachten eerder een dokter of ziekenbroeder.' Zo dicht bij de vrijheid ben ik in jaren niet geweest. Ik kan hem bijna aanraken.

De Torkoe geeft een aantal hoge uniformen een hand. De houding is van beide kanten gereserveerd. Iemand heeft hier zwaar gefaald. Dat moet onderzocht worden. Er zullen koppen rollen. Tot op de bodem uitspitten, hoor ik iemand zeggen.

Tussen hoog en laag bestaat geen vriendschap meer. Alleen de schuldvraag.

De Torkoe keert zich om en zegt tussen zijn tanden: 'Ik breng je wel even naar boven. Kijken hoe het daar...'

Geen 'Ronnie'. Niks.

De traptreden knersen.

Wat zal hij kunnen zeggen tegen de wraakzuchtige overheid? Het had nog zoveel erger kunnen zijn, mijne heren. Wat hadden we moeten doen als een schuimbekkende bende het sportveld was opgerend om de hoogbeschaafde bezoekers de strot door te snijden?

'Alles in orde?' vraagt hij aan Kees.

'Niets te melden.' Maar de groepsleider ziet er verwilderd uit. Zijn ogen knipperen, de onderlip trilt. (Hij zei niet: 'Alles kits onder de rits.' Dat had de Torkoe moeten alarmeren, maar het ontgaat hem.)

'Geen incidenten dus?'

'Niet noemenswaard.'

Ik zie in het onzekere licht — een tl-buis gaat aan-uit aan-uit — dat de mokro's in een hoek van de keuken bij elkaar zijn gedreven en bewaakt worden door twee hulpkrachten in uniform. De pedo zit ongeschonden in zijn eentje op de bank voor de televisie. Het geluid is uitgeschakeld. Een misdaadfilm, zo te zien. Pistool in gehandschoende hand waarmee geruisloos geschoten wordt.

En meteen, in die eerste, beslissende seconden, merk ik twee dingen op die me absoluut niet bevallen.

Eén: geen spoor van Joop de Dope, held van de avond. En ook Hamid ontbreekt.

Twee: bijna volledig in de schaduw de grijnzende kop van de KV in gezelschap van Sandra. Sandra! Niet naar huis gegaan maar de afdeling opgezocht om haar vriendje te beschermen. Nog een dikke laag schmink op haar gezicht, zo'n haast om bij haar liefje te zijn. Het lijkt ook of ze zijn hand vasthoudt, al is het in dit hinderlijke knipperlicht nauwelijks te zien. Onder de tafel, dat wel. Smeerlap. Walgelijk, weerzinwekkend, ze verbergen hun zieke liefde niet eens meer.

'Kunnen jullie het nu verder alleen aan, denk je?' vraagt de Torkoe.

Kees knikt. Slikt.

'Ik kan nog een mannetje hier laten, voor de zekerheid?' Zijn blik registreert de rotzooi op de grond: pannendeksels, verdwaald bestek, een stoel die hulpeloos de poten in de lucht steekt. Zo rustig is het hier dus ook weer niet geweest, hoor je hem denken. En efficiënt als hij is verzamelt hij snel een paar messen die onbewaakt op de vloer liggen en sluit ze op.

'Zo. Dus jullie kunnen het alleen wel aan? Zeker weten?'

'Ze zijn moe.' Kees ademt zwaar. Toch is zijn stem dun als hij zegt: 'Nog een half uur en dan naar bed.'

De Torkoe aarzelt.

Ook de groepsleiding kent zijn eigen moraal: nooit zwakheid laten blijken, daar wordt misbruik van gemaakt. Precies als bij ons eigenlijk!

Kees zou het liefst meteen onder de dekens duiken, of nog beter: in zijn onderzeeër naar een ver land verdwijnen.

De Torkoe denkt na, wil de afgematte man niet kwetsen. Hij ziet Sandra zitten en hoewel ik iets van afkeuring in zijn blik lees, stelt het hem ook gerust, twee groepsleiders op de afdeling. 'Goed, dan gaan we maar.'

Hij wenkt de twee klerenkasten.

Ik stap vóór hem: 'Waar is Joop?'

Hij kijkt me aan, ziet me eindelijk echt: 'Ach Ronnie, er is zoveel gebeurd vanavond...'

Zwijgend verlaten ze de afdeling, taak volbracht. Een van de bewakers vist de donkere zonnebril uit zijn zak. Alsof hij naar het strand gaat. Sukkels.

We horen hun voetstappen op de gang.

Wat rest als ze verdwenen zijn: de tl-buis die irritant blijft knipperen, een televisietoestel waar geluidloos gemoord wordt en het gevoel of er iets niet is afgemaakt.

Ik denk dat er meteen toen het oproer losbrak twee beveiligers op deze gevaarlijke afdeling zijn geparkeerd. Dat alleen kan de onnatuurlijke kalmte, de geringe schade en de geluidloze tv verklaren.

Ik vermijd het zo veel mogelijk naar Sandra te kijken. Ben ik dan de enige die ziet hoe schaamteloos ze zich gedraagt?

Het is stil.

Buiten alleen het rumoer van wegrijdende auto's.

De mokro's strekken gapend hun benen.

Kees kijkt om zich heen of hij uit de slaapstand ontwaakt, klapt halfslachtig in de handen en probeert met enig enthousiasme te roepen: 'Kom op jongens, eerst de troep opruimen.'

De voetbalvechter klaagt over hon-ger.

'Vooruit, we werken gewoon het schema van iedere avond af. De keuken doet...' Hij loopt door naar de keukenkast waar altijd de taakverdeling voor de hele week staat aangeplakt, maar vindt niets. Zijn bewegingen worden argwanend gevolgd door de mokro's, die ruiken dat de man op instorten staat. Ze zijn stuurloos zolang hun aanvoerder nog niet is teruggekeerd.

Brian klaagt dat zijn hoofd zo moe is van die teringherrie de hele avond en wil morgen naar de dokter.

'Ja, jij moet allang je kop eens laten nakijken,' sist een van de Marokkanen.

Brian neemt hem op, berekent de inspanning die een confrontatie gaat kosten en draait zich om.

Stanley pakt zijn plastic SeeBuyFly-tas op en wil naar zijn kamer.

'Hier blijven, Stanley. Jij doet ook mee.'

'Wat moet ik doen dan?'

Kees, hij kijkt de jongens een voor een aan en weet het niet meer. Helemaal onthand nu het werkrooster is gesneuveld. De man is niet meer dan een wankelend wrak, waarom komt Sandra hem niet te hulp? Omdat ze lieve woordjes zit door te geven aan haar aanbidder. Misschien is ze zo aan hem verslingerd dat ze er samen vandoor gaan. Zulke verhoudingen tussen groepsleiders en veroordeelden: zwaar verboden, maar het gebeurt vaker in dit soort inrichtingen. Dat weet iedereen.

De tl-buis knippert zenuwachtig.

De pedo rekt zich uit en verklaart tegen iedereen en niemand dat hij naar bed wil. Lange dag geweest.

'Eerst wordt de rotzooi hier opgeruimd. Onwaarschijnlijke troep. Dan pas praten we over naar bed gaan.'

'Is niet afspraak.'

'Wat afspraak? Ik bepaal hier —'

'Afspraak dat we vanavond lang op moeten blijven,' verzint Saïd.

Kees denkt na. 'Ik weet nergens van.'

'Jazeker, iz beloofd, ik weet zeker.'

De andere mokro's komen eromheen staan.

'Jullie zijn net kinderen. Die willen ook altijd zo laat mogelijk op stok, al vallen ze om van de slaap. Als je ouder wordt, ben je dolgelukkig als je om tien uur je benen kan strekken, neem dat van mij aan.'

Maar niemand neemt dat van hem aan. Ze ruiken onzekerheid, dringen om hem heen. Dat is de mokrotactiek, van alle kanten vragen op iemand afvuren zodat het slachtoffer in verwarring raakt, zich vergist, zijn geduld verliest.

'Echt beloofd, echt waar.'

'Belofte is schuld.'

'Ben jij doof soms?'

Kees, overmeesterd door het gezoem dat hem insluit, roept: 'Wie heeft dat dan beloofd? Wie? Ik heb nergens gelezen —'

'Stond op briefje.'

'Maar het briefje... Maar wie? Wie?'

'De Torkoe,' zegt Saïd rustig.

'Dat is het, de Torkoe heeft het zelf gezegd, echt waar.'

'Hij weet het, want hij heeft alles georganiseerd vanavond. Toch?'

'Hij weet alles. Regelt alles zelf.'

'Stond op briefje, ik heb die zzelf gezien.'

'Heeft hier hele week gehangen, echt waar.'

'Hier,' zegt Saïd en wijst op een plek van het keukenkastje waar nog sporen van plakband zijn te zien.

'Het bewijs.'

'Wij liegen nooit. Mag niet van onze godsdienst.'

'Alle groepsleiders weten het.'

Kees, aarzelend: 'De Torkoe heeft het zelf gezegd? Ik bedoel natuurlijk: heeft meneer Ergün zelf gezegd...'

'Omdat feestavond.'

'Dat jullie later naar bed mochten? Maar... na alles wat er gebeurd is vanavond? Na al die...' Hij moet op adem komen voor hij een soort lach kan voortbrengen, een overdreven hard gelach.

'Juist om wat gebeurd is.'

'Maar waarom heeft hij mij dan niet...'

'Torkoe izz de baas. Mogen tot twaalf uur opblijven. Morgen geen school en uitslapen.'

Dan herinnert Kees zich: spreek de leider aan. Laat je niet afleiden. Hij zoekt het gezicht van Hamid, maar die is er niet. Er zijn alleen maar zoemende monden om hem heen. Het lijkt wel of het er steeds meer worden. Krijgt de nachtmerrie van deze avond dan nooit een einde?

Sandra verliest zich in de vochtige ogen van haar vriend. Dat bedoelen ze wanneer ze zeggen 'liefde is blind'. Iedereen kan zien, de Torkoe zag het, echt iedereen.

Kees schudt de mokro's van zich af. Iemand stapt per ongeluk of helemaal niet per ongeluk op zijn voet. De man probeert zich met de ellebogen los te maken uit het wespennest, ruimte, ademnood.

Eindelijk los ziet hij opeens Stanley die de trap naar boven op loopt, wil op lopen, tas in de hand. Stapt op hem af, pakt hem bij het oor en geeft het bevel de rotzooi op te ruimen, nu meteen.

Een mokro ertussen: 'Stanley stond niet op die briefje.'

'Ja, stond er niet op. Stanley heeft vorige week alle rotzooi opgeruimd, staat er zeker niet op.'

En de anderen zingen mee: 'Staat niet op briefje van Torkoe.'

Kees laat los. Maar begint te schreeuwen: 'Je hoort me toch? Of moet ik?'

Geen reactie. De jongen wrijft ongelovig over zijn oor.

'Stanley, ik zeg jij moet —'

'Wat moet ik doen?' Zijn ogen staan slaperig.

'Jij moet —'

'Staat niet op briefje.'

Getergd schreeuwt de groepsleider: 'Rotten jullie toch op allemaal met je briefje. Stop het maar in je reet!'

'Hoho, is niet beleefd.'

'Mag ons ook niet aanraken. Staat in de wet. Aanraken jongens verboden.'

'Alleen uit zelfverdediging.'

'Maar dit is geen zelfverdediging.'

'Wat moet ik doen?' vraagt Stanley. Zijn gaap lijkt echt.

'Jij, jij gaat... de keukenvloer dweilen. Nu meteen.'

En tot verbazing van Kees, van de meute mokro's, van

Dennis en Kevin en de pedo, sloft Stanley naar de kast waar de schoonmaakspullen staan.

'En die tas laat je hier staan!'

Hij doet of hij niks hoort.

'Heb je toch niet nodig als je aan het dweilen bent? Of wou je soms het vliegtuig nemen?'

Niemand lacht.

'Die tas, breng on-mid-del-lijk die tas hier.'

Maar Stanley is al achter de open deur van de kast verdwenen.

Eerst komt de hardblauwe plastic emmer tevoorschijn.

Dan de stok met dweil.

De emmer houdt hij onder de kraan, we horen het water tegen het plastic klotsen.

Emmer, heel traag want zwaar, op de grond gezet. Geen druppel gemorst.

Kees kijkt toe, te verbaasd voor woorden. Er wordt naar hem geluisterd!

Stanley steekt steel met dweil diep in het water. Draait het uiteinde rond tot de dweil goed doordrenkt is.

Hij kijkt naar zijn toeschouwers, het is een flits, meer niet.

Haalt steel met dweil uit de blauwe emmer, kijkt goedkeurend naar het water dat in de emmer druipt.

En laat de emmer staan.

Zwabber komt langzaam op ons af (steel door het hengsel van de knalgele tas gestoken), het zijn de mokro's die het eerst wijken.

Terwijl hij naar ons toe loopt — die vier, vijf stappen — houdt hij de stok omhoog, het is een speer geworden, druipend van haat.

En hij duwt zonder aarzeling, alsof het zo hoort, de natte kwast vol in het gezicht van de groepsleider.

Je hoort altijd het verwijt dat omstanders bij zinloos

geweld niet ingrijpen. Dat ze erbij stonden en alleen maar toekeken. Die toeschouwers zeggen: het ging te snel, was al voorbij voor we doorhadden wat er gebeurde. Ze hebben gelijk. Het kost niet meer dan een paar tellen en iemand is uitgeschakeld. Een of twee trappen tegen het achterhoofd en het licht gaat uit, haal de brancard maar. De omstanders zijn net zo verdoofd als de daders, neem dat van mij aan.

Uit het niets nadert de voetbalvechter Kevin en duikt naar de benen van de man met het verzopen gezicht.

Kees een spartelende kever op de grond. Stanley hoogst verbaasd over dit resultaat.

Dan volgen de mokro's.

Ik blijf zitten. Kees heeft mij nooit iets gedaan. En bovendien volg ik een heel andere schermutseling, die interessanter is. Eindelijk, eindelijk beseft ook Sandra dat er nog meer op de wereld bestaat dan lieve woordjes en lokkende glimlachjes. De kv wil opstaan, zij grijpt zijn blote arm. Zijn scheve mond schreeuwt iets wat niemand kan verstaan, maar zij blijft hem vasthouden. Ze probeert hem naar beneden te trekken, praat op hem in.

Ik sta op en loop in hun richting, voor het geval dat.

Haar ogen en lippen smeken, koosnaampjes, doe het niet sweetie of hoe ze die gladakker ook noemt. Hij heeft haar al bijna afgeschud, met twee handen moet ze hem tegenhouden. En schreeuwen, smeken: doe het niet, Ricco, niet doen, alsjeblieft. Ze is zo zeker van haar overtuigingskracht dat ze haar verdediging verwaarloost. Ik kan haar niet meer waarschuwen, naar mij luistert ze allang niet meer.

Hij is bijna los, te laat zie ik hoe hij half wegdraait om harder uit te halen voor een wrede elleboogstoot die haar recht in het gezicht raakt. 'Fucking bitch!'

Je hoort iets breken.

En terwijl zij wegglijdt naar de grond, een hulpeloos trage

val, sprint die schoft naar het eenzijdige gevecht op de keukenvloer. Wíl hij wegsprinten want ik sta tussen hem en de slachtpartij.

Eerst is hij verbaasd dat nu het moment is gekomen. De afrekening.

Hij wil nog achteloos langs mij heen schieten, desnoods zijn elleboog weer gebruiken om mij net zo effectief uit te schakelen als de vrouw die achter hem ligt te jammeren.

Als hij beseft dat hij zijn lot niet kan ontlopen, neemt zijn instinct van straatvechter het over.

Hij is snel, glibbert weg, maar mijn woede is sterker dan zijn laffe vluchtpogingen.

Iemand moest haar waarschuwen, ook al wilde ze nooit luisteren.

Iemand moest haar beschermen.

Iemand moest haar helpen.

Iemand moet haar wreken.

Het is binnen een paar seconden voorbij, er zijn geen omstanders, er is geen mens die voor hem in de ring springt.

Hij schreeuwt nog: 'No-no-no.'

De deur splijt open en drie, vier onherkenbare mannen met wapenstokken en schilden storten zich op de troep jongens die de weerloze groepsleider Kees aan het slopen is.

Ik stap over het lijf van de KV en loop de trap op.

En zie van bovenaan op de trap hoe de ME'ers als beesten tekeergaan, niks officiële arrestatie ofzo, gewoon oog om oog. Ze stoppen pas als de brancards op de afdeling verschijnen, de broeders in hun witte pakken, een dokter.

Kees wordt het eerst weggedragen.

Pas dan is er tijd voor een snikkende Sandra.

Ik durf niet naar haar te kijken.

Ik wil niet weten wat hij kapot heeft gemaakt.

Een ME'er struikelt over het lijf van de KV en vraagt: 'Wat

moeten we hiermee?'

Twee anderen komen kijken.

'Neem maar mee.'

'Moeten we...'

'Komt later wel.'

Iemand moest het doen.

Het laatste wat ik zie: hoe Sandra door twee uniformen wordt weggevoerd, ze praten zachtjes, bijna teder op haar in, noemen haar 'meissie'.

Ze wil niet geholpen worden, maakt zich los.

Ze ziet me niet staan.

Loopt op eigen kracht naar de deur en verdwijnt.

Ik voel geen voldoening. En ook geen spijt.

Een zekere opluchting, dat wel.

Het moest gebeuren.

Nu ben ik het kwijt.

Later zal ze me dankbaar zijn.

Toekomst

Wij zijn met steeds minder.

Hamid heeft zich natuurlijk tijdens de ongeregeldheden weten te onttrekken. Het schijnt dat iemand hem op het Zuidplein heeft gezien, pet van de korpschef op z'n kop.

De andere mokro's zijn over verschillende afdelingen verspreid, met uitzondering van de rustigste, die visser wil worden.

De voetbalvechter ligt in het ziekenhuis met een gebroken pols.

En daar hebben ze ook de kv of wat er van hem over is opgeborgen.

Verder alleen achtergebleven: Stanley, Brian en de pedo. Dennis is er nog wel maar gaat binnenkort naar een open inrichting (waar hij nu al een vriendinnetje heeft, gevonden via internet).

Er wordt weinig gepraat. Zelfs de onverstoorbare Stanley is getroffen: zijn knalgele tas moet in het strijdgewoel gesneuveld zijn. De jongen ziet er naakt en kwetsbaar uit, een slak zonder huis.

Misschien komt het daardoor dat een dag later hij, uitgerekend hij, terwijl een boterham onder een laag pindakaas verdwijnt, samenvat wat wij allemaal denken: 'Waar had dat nou voor nodig?'

Brian houdt op met kauwen, kijkt hem aan en zegt traag: 'Ja, waar had dat nou allemaal voor nodig?'

Meer wordt er niet gezegd.

Er zijn nieuwe groepsleiders. Haastig uit het oosten van het land gehaald. Potige kerels. We verstaan ze niet. En hun doen geen moeite om popi te worden. Ze praten dwars door ons heen met elkaar. Het enige wat ze met de andere groepsleiders delen is een verslaving aan websites met snelle auto's, dan zie je hoe hun koele ogen beginnen te glimmen. Ze roepen elkaar, staren zich suf op cabrio's en Hummers.

Hun gedrag is zo afstandelijk dat niemand de vragen aan ze durft te stellen. We nemen dus maar aan dat Sandra thuis herstelt, Kees komt vast niet terug en de Torkoe — met of zonder groen pak —, het lijkt wel of die zich heeft onttrokken. Geen woord, geen spoor. (Sandra zou me toch minstens moeten bedanken.)

Het vliegtuig is opgestegen, het is los van de grond gekomen en daarna hopeloos neergestort.

Gecrasht.

De schroeilucht blijft hangen in de gangen, waar een complete schoonmaakploeg nog steeds bezig is de rotzooi uit te mesten.

's Avonds probeer ik het nog een keer bij een nieuwe groepsleider: 'Is het waar van Joop?'

'Joop wie?'

'Joop de...' Ik kan opeens niet meer op zijn achternaam komen. Vreemd, twee dagen niet gezien en nu al ben ik vergeten hoe hij heet!

'Een groepsleider?'

'Nee, een van de jongens hier. De ster van de bonte avond. Is het waar dat hij in het ziekenhuis ligt?'

'Daar mogen we geen mededeling over doen.' Hij stapt het glazen hok binnen en gaat met zijn collega autoporno zitten kijken.

De stilte op de afdeling is onverdraaglijk. Les wordt er

nauwelijks meer gegeven, door de 'werkzaamheden' in het gebouw. 'Sporenonderzoek' is een woord dat begint rond te spoken, het komt terug in de rare taal van de nieuwe groepsleiders. Recherche is op zoek naar sporen, volgt een spoor en daarvoor moet de hele instelling binnenstebuiten worden gekeerd.

Het is zo stil dat je bijna terugverlangt naar het geweld van Rammstein, lievelingsmuziek van de voetbalvechter. Wrede beelden en teksten over een kind dat verbrandt. Vond ie mooi, die neonazi. Kees kreeg het ervan op z'n zenuwen.

Ik mis mijn maat.

'Hé, dude.'

De enige afleiding is de commissie. We moeten een voor een verschijnen.

Ze beginnen met Stanley.

Hij blijft lang weg.

Als hij terugkomt legt hij zijn hoofd op tafel en meteen snurken. Joop, die in de kamer naast hem sliep, klaagde erover: 'Zoals die Stanley kan zagen, gewoon niet normaal meer. Negers hebben andere neusgaten, daar komt het natuurlijk door.'

De nieuwe groepsleiders stoten elkaar aan, wijzen: de aanstichter van alle kwaad in slaap gevallen.

Als hij eindelijk ontwaakt, vragen we wat en hoe en waarom enzovoort.

Het antwoord: 'Ge-woon.' Of: 'Gewoon, weet je.'

Ik praat met de Marokkaan die visser wil worden. Aardige jongen, hij kan mooi vertellen over de stad waar hij geboren is, aan de Atlantische Oceaan.

Hoe hij in Nederland terecht is gekomen? Ik bedoel eigenlijk: in deze gevangenis.

Hij begrijpt en begint uit te leggen. Meisje uit Nederland, Chantal. Laat foto zien. Een en al wapperend blond haar en grote blauwe ogen. Vakantieliefde, weet je wel. Huilen op het vliegveld. Hij komt over en al gauw is het van achschatjeikkannietlevenzonderjou. Hij blijft. Hij zoekt werk, vindt het niet. Maar geen baan, geen geld. Vriend komt met gouden tip: een keer heen en weer naar Marokko en wat meenemen, je weet wel. Gepakt. Zo gaat dat.

Zo gaat dat, ja.

We lachen erom.

Iemand met wie je kan praten, ook zonder iets te zeggen.

Dan vertelt hij: deze week nog word ik overgeplaatst, op een vissersboot. En herhaalt zijn verhaal: het net barstensvol glinsterende vissen op het dek, je weet niet wat je ziet!

Hij gaat weg.

Ik geef hem zomaar een hand.

Hij lacht en zegt dat de mensen in zijn land dat ook doen, handen geven, veel meer dan de Hollanders. Ook mensen die je iedere dag ziet geef je een hand als je ze tegenkomt.

Maar ik zal hem niet meer elke dag zien.

Met de pedo is de commissie gauw klaar. Heeft niks gezien, wil naar een ander hotel. Gaat naar een ander hotel. Hotel Harreveld heet het.

Brian slaan ze zelfs helemaal over.

De laatste van onze groep die voor ze moet verschijnen, ben ik.

Als we op weg zijn naar de commissie komen we een andere groep tegen. Iemand schreeuwt me iets toe. Ik versta het maar half, die gangen klinken zo hol. Ik denk dat ik het niet goed heb gehoord. Iets met Joop. Joop, het stond in de krant.

De groepsleider wil niet dat ik blijf staan. Hij kent de weg nog niet, verdwaalt, dus we kijken nóg een keer in het zwarte gat waar Control ooit woonde. 'Te-ring.'

Achter de tafel zitten drie mannen en een vrouw (niet de burgemeester). Ik wil er meteen over beginnen, maar ik ken de regels. Ik moet me eerst netjes gedragen en dan doen ze iets terug. Je moet het *verdienen* met SWG.

De man in het midden heeft golvend wit haar. Donker pak. Op zijn jasje een speldje. Vreemd, een volwassene die een button draagt. Zal wel iets te betekenen hebben.

Het moeten echte bestuurders zijn, want ze zien er onbewogen uit. Alsof ze alles al eens hebben meegemaakt. Alleen de vrouw zit me strak aan te staren. Wat denkt ze? Dat is 'm dus, hij ziet er gevaarlijk onschuldig uit?

Ik mag gaan zitten op een stoel die voor de lange tafel staat. Er staan twee stoelen voor de lange tafel. Dat verwart me. Ik houd niet van een lege stoel naast me. Of er iemand zit of zou moeten zitten. Wie dan? Een advocaat? Had ik mijn advocaat moeten bellen? Maar die man heeft mijn zaak alleen maar verkloot. Het bericht dat iemand in de gang schreeuwde, ik moet het wel verkeerd verstaan hebben. Er wordt zoveel verzonnen in een gebouw dat gaapt van de verveling, dat weet iedereen.

De voorzitter legt uit dat hij dus de voorzitter is van deze onderzoekscommissie. Het gaat *niet* om een verhoor, wij willen alleen wat praten over wat er precies gebeurd is omdat er bepaalde... details onduidelijk blijven. Ook om te voorkomen dat zoiets ooit weer gebeurt, dat begrijp ik zeker wel?

Het is geen verhoor, gaat hij verder, maar ik heb wel het recht te zwijgen, als ik dat al zou willen. Of dat duidelijk is?

Wanneer het licht op zijn witte kuif schijnt, is het net of zijn haren recht overeind gaan staan. Dat leidt me af. En ook: als hij je aankijkt en praat lijkt het toch of hij de woorden voorleest van een onzichtbaar blad papier.

'Duidelijk?'

'Ja meneer.'

'Goed.' En vriendelijker: 'Hoe wil je dat we je noemen? Ronaldo? Ronald?'

'Liever Ronnie.'

'Dan is het "Ronnie", Ronnie. Je *hoeft* dus niet te antwoorden.'

Voorzichtig. Als ze te aardig zijn hebben ze iets te verbergen.

'Wel, in de eerste plaats wil ik je meedelen dat deze commissie in de zaak Ricco niet op strafvervolging zal aandringen.' Hij wacht even, verwacht kennelijk een reactie, opluchting ofzo. Geen idee waar hij heen wil.

'Want dat is niet in het belang van groepsleidster Sandra.

Of in het belang van het slachtoffer.

Ook niet in jouw belang, uiteraard, en helemaal niet in het belang van deze instelling.'

Weer kijkt hij me aan. Wat moet ik zeggen? Raadsels. Ik staar maar naar het speldje op zijn jasje. Het lijkt wel een wiel. Iemand van de spoorwegen? Vreemd.

'Goed, we gaan door. Waarom, waarom denk je dat de... de onrust op jullie afdeling uitbrak toen het eigenlijk al voorbij was allemaal?'

Dat kan ik uitleggen want daar heb ik over nagedacht. Als ik nu praat, zullen zij van hun kant straks iets terugdoen. Dus begin ik een heel verhaal over de andere afdelingen, die min of meer mee konden doen. Maar bij ons werden bij het eerste teken van onrust meteen twee gewapende bewakers neergezet. De jongens konden het wel horen, maar ze leefden niet echt mee. Dat steekt. Het geweld is bij ons eerst de kop in gedrukt. Daar houdt het geweld niet van. Dan hoopt het zich op en wacht. Het geweld is goed in wachten, is geduldig. Maar het moet er wel altijd uit komen. Als dat eindelijk gebeurt, als het geweld zich bevrijdt, dan gaan echt alle remmen los. 'Dat is... een wet. De wet van de traagheid.'

De voorzitter, die in zijn papieren heeft zitten snuffelen,

kijkt op. 'De wet van de traagheid...' herhaalt hij. Zoiets nooit verwacht van die jonge criminelen die, zoals ieder beschaafd mens weet, allemaal stuurloze mongolen zijn. 'De wet van de traagheid, zegt u?'

'Ik heb de havo bijna afgemaakt.'

'Ach,' zegt hij glimlachend en hij kijkt me nu eindelijk echt aan. 'Kijk eens aan.' Het lijkt of hij even de weg kwijt is.

Van zijn lichte verwarring maakt de vrouw gebruik: 'Het valt me op dat u over geweld praat alsof het om een persoon gaat. Een mens dus.'

'Dat is ook zo.'

'Kunt u dat uitleggen?'

'Het geweld is iemand die in je woont of niet.'

'En Joop, had die ook het geweld als inwoner, denk je?'

Ik voel een ijsdruppel langzaam langs mijn ruggenmerg glijden. Ik wil nog meer zeggen, maar uit mijn mond komen alleen piepende geluiden. Mijn blik zoekt houvast maar vindt in deze kale ruimte alleen het spottende voorwerp dat boven op een lage kast staat. Het hoofd van een vrouw met hoogrode wangen. Echt haar, dat wil zeggen donkere slierten in krulspelden verpakt.

Ik probeer het nog een keer, maar die poppenkop met het kusmondje lacht me uit.

De vrouw zegt: 'Misschien wil hij wat drinken?'

De voorzitter, enigszins verstoord door deze onderbreking, schuift me een glas en een flesje tonic toe.

Flesje zit nog dicht. Ik wijs op de metalen dop.

De voorzitter pakt een opener maar weet daar zo onhandig mee om te gaan dat hij zijn vinger openhaalt aan de scherpe rand. Hij vloekt en verontschuldigt zich. Het bloed dringt gretig door de snijwond. Druppels druipen op het papier dat voor hem ligt. Met afgrijzen kijkt hij naar zijn rode wijsvinger of hij voor het eerst bloed ziet. Zijn eigen bloed.

'Er moet een pleister op, Karel. Dit blijft bloeden.'

'Jaja,' en hij beent met grote passen de deur uit naar de gang waar hij iemand blaffend de weg vraagt.

Eerst haar geur. Niet de zwoelheid die de moeder van Brian meenam. Eerder iets fris. Ze gaat naast me zitten alsof het zo hoort, of die stoel daar al die tijd voor haar klaarstond.

'Jij was toch bevriend met Joop, hè?'

Mijn vriend. Zijn vriend.

'Dat komt niet veel voor hè, vriendschappen op zo'n afdeling?'

'Je kan niemand vertrouwen.'

'Maar Joop, die vertrouwde je wel?'

'Vertrouwen, vertrouwen... We weten wat we aan elkaar hebben.' De woorden komen weer terug. Nog geen hele zinnen, maar gelukkig ook niet dat zielige gepiep.

De voorzitter keert terug, vinger verdriedubbeld. 'Waar waren we?'

Zij zegt: 'Ik had het met Ronnie over Joop.'

'Ah, Joop!'

Is dat hele gedoe met dat flesje en die vinger dan alleen maar komedie geweest? Concentreer je, Ronnie, ze willen je iets ontfutselen. In de KV of Sandra zijn ze absoluut niet geïnteresseerd. Ik zie een ronde rode plek verschijnen op het witte verbandgaas.

'Joop... Wat was dat voor iemand?'

Zelfs dat ene woord kost me moeite: 'Ge-woon.' Het stopwoord van Stanley. Als je machteloos staat tegenover het lot kan je het beste alles maar ge-woon vinden.

'Maar waar hadden jullie het over, samen?'

'Over films enzo.'

'Wat voor films?'

'Films die hij gezien had. Hij vertelt ze na. Is-ie goed in.'

Zij vraagt of ik een voorbeeld kan geven, van zo'n film.

'Zijn lievelingsfilm, dat ging over hoe de mensen die wij zien en meemaken, dat zijn niet de echte mensen. Ze zijn voorgeprogrammeerd. Ze hebben geen rood bloed maar bestaan uit draden met echte huid eromheen, ze leven dus niet zelf. Niet echt.' Ik zie dat de twee commissieleden die nog helemaal niets gezegd hebben, nu oplettend mijn kant uit kijken. 'Dan zijn er een paar mensen, een neger en een bloedmooie vrouw, die ontdekken hoe de wereld echt in elkaar zit. Dat wat wij zien, niet echt bestaat, het wordt ons voorgespiegeld door een klein groepje dat de macht in handen heeft en ons voor ze als slaven laat werken.'

'Een wereld die niet echt bestaat en bevolkt is door mensen die niet echt leven...' mompelt de voorzitter verstrooid. Bloedverlies verzwakt je krachten, dat is bekend.

'*The Matrix*,' zegt een van de zwijgzame commissieleden.

'Wablief?'

'*The Matrix*,' roept de man, 'zo heet die film.'

'Goed.' De voorzitter raadpleegt zijn aantekeningen. 'Was dat alles?'

Ik moet ze nog iets geven, een bot om op te knagen. Anders krijg ik niets terug. 'Hij heeft het vaak over het ijs dat smelt. Het smelten van de ijskap, de Noordpool enzo. Daar wil hij iets aan doen. Hij denkt dat we allemaal gaan verdrinken, binnenkort.'

Ze kijken elkaar aan. Overleggen fluisterend.

'Had hij het weleens over baantjes, ik bedoel werk dat hij vroeger deed, dat soort dingen?' vraagt de vrouw.

'Joop... is iemand die spreekt in beelden. Zijn gedachten springen heen en weer, alles loopt door elkaar bij hem: verleden, toekomst, heden.'

'Nooit elektricien geweest bijvoorbeeld?'

'Niet dat ik weet.'

Weer dat gefluister onder elkaar.

De kop met krulspelden kijkt glimlachend toe.

'Had u zelf nog vragen?' zegt de voorzitter en negen vingers beginnen de papieren bij elkaar te schuiven tot het weer een nette stapel wordt.

Dit kost me heel veel moeite: 'Eigenlijk wel ja.'

'Wat zegt u?'

'Ik wil graag iets weten.'

'Je wil graag iets weten. Dat willen we hier allemaal.' Lichte irritatie in zijn stem. Het heeft lang genoeg geduurd. En wat zijn ze wijzer geworden? Dat de wereld bestuurd wordt door wezens die uit draadjes bestaan. Dacht Joop.

'Is het waar wat ze over hem zeggen?'

'Over wie?'

'Over Joop. Is het waar wat ze over hem zeggen?'

De voorzitter kijkt verstoord.

Maar de vrouw grijpt in: 'Het is waar, Ronnie. Joop Bovenkamp, die jullie Joop de Dope noemden, is gisteren in het ziekenhuis overleden.'

'En is het dan ook waar dat hij, dat het met elektra te maken had en de black-out en de chaos en... alles?'

De voorzitter komt ertussen: 'Het onderzoek is nog niet afgerond. We hebben pas zekerheid als het rapport hier' — witte vinger met rood randje wijst — 'voor ons ligt. En zolang we nog niets zeker weten, is het beter het zwijgen te bewaren.' Hij kijkt streng naar de andere commissieleden, een rij gesloten gezichten. 'En eigenlijk zijn we minder geïnteresseerd in hoe of wat er precies gebeurd is. Alleen het resultaat houdt ons nu bezig, en daaraan valt weinig meer te veranderen, vrees ik. Daar moeten we het maar bij laten.'

Nu snel zijn: 'Is-ie... al begraven?'

'Neenee, zo snel —'

'Mag ik erbij zijn?'

'Je bedoelt —'

'Je weet best wat hij bedoelt, Karel. Het is zijn beste vriend geweest. Ik vind het niet meer dan menselijk en fatsoenlijk om hem de kans te geven om —'

'Men-se-lijk?' roept 'Karel'. En opeens stuift de woede die de hele bijeenkomst al achter zijn woorden gewacht heeft naar buiten. Fatsoen en menselijkheid, dat soort begrippen moet je hier liever thuislaten. Daar moet je hier écht niet over beginnen. Alsjeblieft niet, nee. Mensen zijn hier afgeslacht of halfdood achtergelaten. Als beesten, als redeloze *beesten* zijn ze hier tekeergegaan, zonder moraal of andere rem. De wet van de jungle! Het oerwoud, de onderwereld heeft hier geregeerd!

De rest slikt hij in. Zijn trillende hand tast naar het glas. Hij drinkt. Al kalmer, opeens weer een model van beschaving: 'En wat de teraardebestelling van het stoffelijk overschot betreft, daar kunnen wij helemaal niet over beslissen. Tenminste niet meteen. Daar moeten wij in de eerste plaats de nabestaanden over raadplegen. Die willen natuurlijk elke... verstoring van de plechtigheid vermijden. Wij ook trouwens. Er is al genoeg gebeurd, zou ik zo denken. Daar wou ik het voor vandaag bij laten.'

Het laatste staartje woede. En dan meteen weer de beheersing, uitgestreken gezicht van de ambtenaar in functie. Natuurlijk, als hij niet zo'n meester was in swg zou hij nooit zover gekomen zijn.

Als ik opsta overvalt me een grondeloze angst voor de lege gangen waar ik straks doorheen moet, gangen die lager, langer en smaller zullen worden elk jaar dat ik hier nog zal moeten blijven, tot ze niet ruimer zijn dan een houten kist.

Bij de deurpost moet ik me vastgrijpen.

'Gaat-ie?' vraagt de groepsleider niet eens onvriendelijk.

Een bekend gezicht is teruggekeerd.

Nelson. Hij trekt een beetje met zijn linkerbeen maar voor de rest lijkt hij ongeschonden.

Ik ben blij, want misschien komt ook zij nu terug, al durf ik dat niet te vragen.

Hij begint uit zichzelf opgewekt het avontuur van de voetbalvechter Kevin te vertellen. Dat moet ongeveer zo gegaan zijn:

Omdat Kevin gewond in het ziekenhuis had gelegen kreegie extra verlof. Onbegeleid verlof (ov) nog wel. Dus pakte hij de trein, en omdat hij in zo'n puike stemming was meteen muziek. Zette mobieltje zo hard mogelijk (Rammstein natuurlijk).

Verstoorde blikken van de medereizigers, maar niemand durfde er iets van te zeggen. Je weet maar nooit, geen Marokkaan maar wel rare muziek in een vreemde taal. Duits over dode baby's enzo. Brrrr.

Ze verschuilden zich achter hun ochtendkrant.

De voetbalvechter genoot ondertussen van zijn publiek. Zie ze daar zitten, het bloed stolt in hun aderen van schrik. Net een hoe heet dat ook alweer? Madame Tussauds, wassenbeeldenmuseum. De dreun van de duistere muziek doet hun knieën trillen. Dat soort dingen werd een stuk leuker als je te lang had vastgezeten. Vrijheid! Eindelijk weer hoofdrolspeler in je eigen leven! Zulke dingen moeten er door de voetbalvechter z'n hoofd zijn gegaan, verbeeld ik me; het is een koppig hoofd dat van simpele genoegens houdt als lawaai en terreur.

Het liep allemaal als een trein tot de kaartjesknipper verscheen.

Jonge slungel nog, nieuw uniform.

En dat broekie had het lef op hoge toon te vragen of hij de muziek wat zachter wilde zetten.

'Wat? Versta je niet, man.'

'Muziek. Zachter.'

'O, dat.'

Hij boog zich naar het brullende mobieltje, strekte zijn hand al uit (de conducteur haalde opgelucht adem), dan opeens: 'Waarom eigenlijk zachter, klojo?'

'De andere passagiers hebben geklaagd.'

'Welke passagiers? Ik zie helemaal geen passagiers. Ik zie alleen wassen beelden. Willen de reizigers die geklaagd hebben, opstaan?'

Geen reactie.

'Hallo daar!'

Dit was chill, dit was Freiheit en Freedom tegelijk!

De kaartjesklant schreeuwde: 'Je kan op het balkon gaan zitten!'

'Wat krijgen we nou? Fok op, man, ga je pik zoeken! En wat balkon, ik zie helemaal geen balkon, sukkel. En als er een balkon was, ik ga niet in de kou staan. Kom net uit het ziekenhuis, man, doodziek.'

'Je kaartje.'

'Wat?'

'Kaartje.'

'Doe effe rustig, man. En voor jou ben ik u.'

Conducteur had zeker nooit Agressie Regulatie Training gevolgd, want begon weer te zeiken. Geen woord van te verstaan, geen partij voor Rammstein.

Daarom probeerde de voetbalvechter het nog te sussen, doe rustig, doe effe rustig, zoals hij het in de inrichting geleerd had: tot tien tellen en dan zien of je nog kwaad bent.

De reizigers kregen de zenuwen, sommigen stonden al op. Een man in een lange donkerblauwe jas hielp een grijs minivrouwtje overeind en zo verlieten de ratten het zwalkende schip. Bang voor bloed op hun goeie goed, de lafbekken.

Scheten in hun broek natuurlijk.

Kaartjesknipper strekte zijn hand uit naar de tierende mobiel.

'Dat zou ik maar liever niet doen.'

Hij aarzelde. 'Kaartje!'

'Wat?'

'Je hoort me heel goed, jij!'

'Voor jou ben ik u.'

'Kaartje!'

'Rustig maar. Effe zoeken.'

Conducteur dacht natuurlijk: zwartrijder. De voetbalvechter werkte onsystematisch zijn zakken af, jack, broek, nog een keer jack en hé, wat was dat nou? Kwam zomaar het kaartje tevoorschijn dat hij had meegekregen. 'Alstublieft, meneer. En laat me nou eindelijk met rust, eikel.'

Kaartjesknip keek, controleerde datum (klopt), controleerde eerste klas: klopt niet. Brult: 'Dit is een eersteklascoupé.'

'WAT?'

'Dit is een *eersteklas*coupé.'

'Ja, vind ik ook, een eersteklas coupé, vooral nu al die ouwe lullen —'

'Je mag hier helemaal niet zitten.' De knipper tikte met zijn tang op het cijfer 1 dat boven de deur stond. 'Of kan je niet lezen soms?'

Nu stond de voetbalvechter op. Lang genoeg geduld gehad. Beledigingen hoefde hij niet te nemen, van niemand niet.

De knipper deed een stap terug.

'Nou moet jij eens goed luisteren, jij. Ik zit waar ik zit. We leven in een vrij land. Begrijp je, sukkel?'

'U kunt in de andere wagon. Daar —'

'Ik zit waar ik wil.' En hij plofte weer neer.

De conducteur, ten einde raad, raakte zijn schouder aan. De schouder van het vettige zwartleren jack.

'Blijf van me af, vuile kankerflikker.'

Kaartjesknippers, altijd al een hekel aan gehad. Als kind al, dat zo'n gozer grappig wou zijn en doen of hij een gaatje in je oor ging knippen, weet je wel.

De knipper gaf een duwtje tegen de schouder: 'Opstaan en oprotten.'

'Wat krijgen we nou?' Laatste waarschuwing, het geduld van de ART was bijna op: 'Fok op, man. Fok op en haal die teringpoten van me lijf!'

Knipper aarzelde nog.

Maar voelde zich gesteund door de ogen van de reizigers die naar het balkon gevlucht waren en nieuwsgierig toekeken. Sommigen — ze leken wel gekrompen van angst — met een mobieltje aan het oor waarmee ze het verslag doorbelden.

Ook een conducteur wil respect. En dus pakte hij het zwartleren jack van de voetbalvechter beet om hem overeind te trekken.

Had hij niet moeten doen.

Eén ram en de mooie pet rolde al over de grond.

De conducteur werd bijna gered omdat ze het volgende station naderden, waar de blauw al met honden klaarstond. Maar voor het zover was, wist de relschopper nog even de rekening te vereffenen: gebroken kaak en schedelbasisfractuur.

Het staat vandaag in *De Telegraaf*, op de voorpagina.

'Dat was dus een kort uitstapje,' vat Nelson samen. 'Vier uur vrijheid gebruikt om zo snel mogelijk weer binnen te komen.'

Ik vraag me af welk T-shirt de voetbalvechter aanhad: LIFE SUCKS? Of zijn geliefde hemd INVASION OF THE BRAIN EATER CREATURES?

Het is ook Nelson die me het goede nieuws komt vertellen: ik mag erheen. Of ik nette kleren heb, vraagt hij nog.

Op de dag dat we erheen gaan is de mokro-zonder-naam net vertrokken. Hij deed heel zenuwachtig. Het was alsof de vervulling van zijn droomwens (werken op een vissersboot) hem doodsbenauwd maakte.

Naast Nelson in de auto van de Dienst Justitiële Inrichtingen (DJI) zie ik de weilanden voorbijglijden.

Onverschillig groen.

Onbeweeglijke koeien die ons nastaren.

Het is een dag zonder uitdrukking, precies zoals hij gewild zou hebben. Grijs, maar zonder dreiging. Zon soms even zichtbaar in een gat tussen de dunne wolken.

In de stad: vreemd dat alles gewoon verder gaat als je binnen bent. Winkels, banken, schoolgebouwen. Een bioscoop zelfs. Het leeft maar gewoon door alsof er niks aan de hand is. Beter om daar niet aan te denken.

Iets positiefs: het is heel goed mogelijk dat Sandra er ook bij zal zijn. Hoe langer ik erover nadenk, hoe waarschijnlijker dat wordt. Ze was ook Joops mentor, al kwam er van die gesprekken nooit veel terecht. Maar iemand moet toch ook namens de instelling 'de laatste eer bewijzen', of hoe dat ook heet.

Als we aankomen zijn er al een paar jongens van Joops leeftijd. Vuile pata's, gore spijkerbroek, huid van stopverf. Zou je ze daaraan niet herkennen, dan toch zeker aan de overdreven haastige stappen waarmee ze op weg zijn naar niks. Na een paar minuten verschijnt een zwartglanzende auto. Moeder stapt uit, haar blik glijdt langs het haveloze stelletje bij de ingang en onwillekeurig drukt ze haar grote zwarte tas strakker tegen haar lichaam. Je weet maar nooit, zelfs hier kan je ze niet vertrouwen. Ze neemt ook Nelson van top tot teen op, maar die wordt goedgekeurd. Nette neger, zou zo in een schoenwinkel kunnen werken.

De aula is kaal.

Een stijf spreekgestoelte.

De muziek is zeker niet door de overledene gekozen.

Het ruikt naar kerk en kaarsen.

Er springen ook een paar kinderen rond, die niet begrijpen waarom hier zachtjes gepraat moet worden.

De muziek stopt abrupt. Een man in een uitgestreken pak stapt naar voren en geeft het woord aan 'meester Bovenkamp'.

Tot mijn verbazing loopt een jonge vrouw naar voren. Ze is rustig gekleed.

Ze strijkt een knisperend blaadje lichtblauw papier glad. Maar als ze gaat praten kijkt ze ons recht in de ogen.

Een mooie, warme stem, ik vergeet bijna naar haar woorden te luisteren.

'Mijn broertje,' zegt ze (hoewel ze niet veel ouder zal zijn), 'had goede en slechte eigenschappen. Hij was onberekenbaar, een fantast, niet altijd te vertrouwen ook. Ik zeg het eerlijk zoals het is.'

Ze kijkt ons bijna uitdagend aan, alsof ze duidelijk wil maken: geen mooi weer spelen. 'Ik heb daar vaak over nagedacht. Misschien' — lachje — 'omdat ik zelf altijd zo braaf ben geweest. Je denkt wat af als een geliefd iemand overlijdt, als je niet meer met hem zal kunnen praten, dus ook geen uitleg vragen. En steeds als ik aan hem dacht, en denk, komt dat ene beeld weer boven: Joop in de bioscoop.

Wij gingen heel vaak naar de film, dat was misschien wel het enige wat we als familie echt samen deden. In ieder geval elke zondagmiddag.

's Ochtends werd Joop al onrustig, onhandelbaar bijna. Later, toen hij allang ergens anders woonde, stond hij op zondagochtend al uren voor het begin van de matinee — zo heette dat toen, de zondagmiddagmatinee — op de stoep. Samen naar de film, dat wilde hij niet missen, voor geen goud.

Je moest niet naast hem gaan zitten, want zijn elleboog en zijn benen schoten voortdurend heen en weer, bij elke spannende wending in het verhaal.'

Ze pauzeert. Slikt. Toch is ze haar emoties snel weer de baas. Een sterke vrouw.

'Maar het vreemdste gebeurde altijd als de film was afgelopen. De toeschouwers stonden stommelend op en verlieten de zaal. Eén persoon bleef zitten. Onze Joop. Als je aan zijn arm trok, begon hij wild met zijn hoofd te schudden. We lieten hem. De eigenaar, meneer Beentjes, deed ook geen moeite hem weg te krijgen. Hij kende Joop.

Vaak wachtte ik op hem. Dan kwam hij na een minuut of tien, twintig, volkomen verwilderd de bioscoop uit strompelen. We liepen samen, gearmd, naar huis. Zonder woorden, omdat ik niet wist wat ik moest zeggen. En hij, hij was er nog niet.'

Een zucht strijkt langs de microfoon.

'En de afgelopen dagen moest ik steeds weer denken aan dat beeld. Joop in de bioscoop. En ik begreep eindelijk waarom dat beeld zo typerend is. Mijn broertje heeft nooit zoals de zogenaamd volwassenen het onderscheid tussen werkelijkheid en verzinsel kunnen maken. Bij hem liep dat altijd door elkaar, hij bouwde zijn eigen wereld, daar genoot hij van. En het is tegelijkertijd zijn ondergang geweest.

Daarom wil ik mij hem... daarom wil ik dat beeld bewaren.

Mijn broertje in de bioscoop, mijn broertje die niet naar buiten wil. Buiten, waar het koud is en regent en allerlei mensen van alles van je willen en opdrachten geven, en nooit mooie, opzwepende muziek of romantische scènes.

Dat is Joop voor mij: een jongen die niet de kille buitenwereld in wil.'

Ze kijkt ons aan, een voor een, zonder onderscheid. Misschien mij iets langer.

Dan glimlacht ze triest, vouwt het lichtblauwe velletje postpapier op (ik zie dat ze geen ringen draagt aan haar vingers). 'Dat... wilde ik graag zeggen.'

Het blijft heel stil.

Ze gaat zitten. Staat weer op, knikt naar de man met het uitgestreken gezicht en de muziek begint te golven. Iets godsdienstigs, met veel Maria erin.

Ja, hij was een dwaas, een stuiterende gek, stijf van de drugs, opgejaagd door onbekende stemmen.

Een gek, maar *onze* gek.

En terwijl de muziek verder ijlt, weet ik het zeker: ik moet haar spreken, nu. Ik heb haar zoveel te vertellen, wij hebben *elkaar* zoveel te vertellen. En tegelijkertijd besef ik: misschien gebeurt er iets heel raars als ik tegenover haar sta en mijn mond opendoe.

Als het afgelopen is blijf ik eerst zitten. Maar ze komt me natuurlijk niet halen.

Ik wacht tot de groep om haar heen uitdunt. Geen man of begeleider die in haar buurt blijft hangen. Even heb ik weer de indruk dat we elkaar langer aankijken, maar het moment glijdt weg.

Gedachteloos loop ik mee naar het vreugdeloze zaaltje waar de koffie en koekjes klaarstaan. De junkies zijn al verdwenen, staan buiten te peuken natuurlijk. Dat waren zijn echte vrienden niet. Hij had maar één vriend.

Een vrouw met lichtblauw haar staat op haar in te praten. Wachten dus.

Ik zie hoe zij onrustig om zich heen kijkt, zoekt. Meester Bovenkamp. 'Mijn zusje is advocaat.' Toen hij het zei, dacht ik: weer zo'n verzinsel van hem.

Nelson kijkt opzichtig op zijn horloge.

Ik kan mij natuurlijk onttrekken. Maar het goeie van Nelson is dat hij nooit zegt: 'Haal het niet in je hoofd weg te rennen. Dan kan je de rest van het jaar je verlof wel vergeten enz. enz.' Wijsheid, want begint iemand te dreigen, dan daag je ons uit. Nu voel ik geen enkele aandrang. Bovendien, waar moet ik heen? Naar ouders 'die het weer met elkaar willen proberen'?

Eén moment is er een pad vrij dat rechtstreeks naar haar toe loopt. Ik wil haar een hand geven, maar weet niet of de familie zoiets wel op prijs stelt. Zeker de moeder niet. Nelson raakt even mijn elleboog aan: 'Zullen we?'

Ik loop vlak langs haar, stop en wil me omdraaien maar precies dat moment kiest de begrafenisondernemer 'om nog wat details door te nemen'.

Ik zit aan het raam en kijk naar de weilanden. Stomme koeien die alles over zich heen laten komen, wind, wolken, regen en ze kauwen maar door, dag in dag uit.

'Waar had dat nou voor nodig?'

Sandra heeft me zelfs nooit bedankt. Joop is dood.

Zinloos.

Alles aan die bijeenkomst net was triest en toch voel ik me niet verdrietig.

Ze heeft wel mooi gesproken. Misschien ben ik meer Joop dan ik denk, ook iemand die tussen fantasie en werkelijkheid leeft ('verdachte heeft een irreëel zelfbeeld, dat voortdurend schommelt tussen eigenwaan en zelfhaat'). Ik zou haar een brief kunnen schrijven, beginnen met die overeenkomst tussen haar broer en zijn beste vriend, zij zou dat zeker begrijpen. Ze zal het waarderen, nieuwsgierig worden zelfs. En dan de volgende stap.

Ik had haar moeten bedanken. Me voorstellen: 'Ik ben de beste, de enige vriend van je broer. Hij had het weleens over je, dat ik jou als advocaat moest nemen.'

Diezelfde avond begin ik. De hele nacht werk ik door, de

woorden komen vanzelf, alsof ze al klaarliggen. Pas tegen de vroege ochtend, als het licht nog de kleur van as heeft, durf ik het over te lezen.

Drie weken en vier brieven later komt het antwoord, kort en zakelijk: datum voor een afspraak.

De nacht voor het gesprek kan ik nauwelijks slapen. Dit is mijn laatste kans. Over hooguit een maand gaan ze over het al of niet verlengen van mijn tbs beslissen. Ze kunnen me zelfs nog twee keer twee jaar vastzetten. Dan ben ik tweeëntwintig als ik buiten kom – als ik die lange jaren overleef en niet gek word. Er *moet* iets gebeuren, nu.

Op weg naar het lokaal waar ik haar zal ontmoeten tuimelen de beelden door mijn hoofd. Ze hebben allemaal met woede te maken. Misschien moet ik het gesprek afzeggen, uitstellen. Ik ben te gespannen, tot alles in staat behalve nuchter nadenken.

Een onbekende vrouw staat op. Ze kan het niet zijn, deze jonge vrouw met donker krulhaar en een bleke huid waartegen het rood van haar lippen scherp afsteekt. Heb ik dan zo slecht gekeken bij de begrafenis?

Een droge, koele hand.

We gaan zitten.

Alles aan haar is zakelijk. Niks geen lachjes of knikjes die de vrouwelijke psychologen hier gebruiken om de patiënt op z'n gemak te stellen.

Ze begint uit te leggen dat ze geen ervaring heeft met dit soort zaken. Haar specialiteit is vermogensdelicten. (Geld dus, veel geld.) Maar omdat iets in mijn brieven haar trof, heeft ze toch besloten met me te praten. 'We zien wel waar het schip strandt.'

Ook deze keer geen ringen aan haar vingers. Wel een dun gouden kettinkje om de pols. En een blinkend sieraad op haar jasje, lijkt de letter V. In het oor, net zichtbaar, een diamantje.

Er ligt al een doodgewone Hema-blocnote voor haar, met daarnaast een blauwe BIC-balpen, zo een waar ik op school ook mee schreef.

'Dit is een oriënterend gesprek. Zoals ik al zei, er was iets in je brieven wat me raakte.'

'Over Joop?'

'Ook over Joop. Maar vooral wat je over jezelf schreef.' Ze slaat de blocnote open. De bladzijde is leeg. 'Vertel me eerst eens waarvoor je hier zit. Dit blijft natuurlijk allemaal binnenskamers, dat spreekt vanzelf.'

Ze wacht.

Ik durf haar niet aan te kijken. Ik heb hier zo lang op gewacht, en toen ik het al had opgegeven kwam de brief met de afspraak.

Ten slotte begin ik haperend te vertellen over de leraar die me zogenaamd wilde redden.

Ik kijk naar haar schrijvende hand en moet opeens denken aan haar broer, zijn blokletters die over het papier dansten. Maar dit is een heel simpel en evenwichtig handschrift dat zich niet laat afleiden. Waarom is ze hem eigenlijk nooit op komen zoeken? Ik durf het niet te vragen.

Ik vertel over mijn woede, zo groot dat ik bijna stikte. 'Stomkop' had hij me genoemd. 'Je bent minstens zo erg als je vader.' Bleek dus dat hij me de hele tijd al veracht had, die leraar, ondanks z'n zogenaamde 'reddingspogingen'. Daarna neef Jeffrey, die een man van me wilde maken. En de student die me zo nodig voor de voeten moest lopen.

Ze knikt alsof ze het begrijpt, al kent ze alleen maar vermogensdelicten. Vraagt: 'En heb je dat allemaal aan de rechtbank verteld?'

Ik ga rechtop zitten. 'Ik heb helemaal niks verteld.' Opeens besef ik hoe dicht we bij elkaar zijn, wij tweeën alleen in deze veel te lege ruimte. Haar dunne pols binnen handbereik. Ze heeft geluisterd. Ze heeft het in een keurig handschrift genoteerd. Dat ze geen emoties toont, betekent dat ze me begrijpt.

Ze is niet bang, om de dooie dood niet.

Ze knikt of ze wil zeggen: doorgaan. Iemand die kan luisteren zonder oordeel, een echte advocaat.

Ik vertel verder, hoe het allemaal verkeerd gelopen is, de rechtszaak. De advocaat die mij moest verdedigen kwam uit de kringen van mijn vader. Zijn hele mond zat vol goud, 'mijn brandkast', zei hij altijd. En daar moest hij zo hard om lachen dat zijn buik schudde en de rest van zijn blingbling begon te rinkelen. We hebben niet veel gepraat. 'Je mag dan op de havo zitten, maar ik voer het woord. Als jullie gaan praten, maken jullie het alleen maar erger.' Dus hield ik mijn mond. De rechters vroegen soms iets, maar ik moest dus van mijn advocaat blijven zwijgen als het graf. 'Je hebt het recht te zwijgen, maak daar gebruik van. Vraagt de rechter of je iets wilt zeggen, dan moet jouw antwoord zijn: "Ik heb het volste vertrouwen in mijn advocaat."' En daar begon hij dan weer rinkelend om te lachen. Verder zei hij ook nog: 'Een psychologisch onderzoek moet je altijd afwijzen. Voor je het weet, hebben ze je gek verklaard en dan kom je nooit meer buiten. Dan kan je het schudden.' Ook dat vond hij oerkomisch. 'Maar ik kreeg mooi jeugd-tbs. Die man kon er echt geen fuck van. Zo'n advocaat, die meester blingbling, die moesten ze eigenlijk opsluiten, vind ik.'

Ze legt de balpen neer. 'En wat verwacht je nou van mij, Ronnie?'

'Ik wilde weten... Kunnen ze het proces niet heropenen, zo heet dat toch?'

Ze vraagt of er dan nieuw bewijsmateriaal is.

'U bedoelt?'

'Is er iets veranderd, nieuwe getuigen, andere verklaringen?'

De vraag overvalt me. 'Nee, dat niet nee.' Die rare dromen van vannacht blijven rondspoken, en pas als ik me heel sterk concentreer op mijn vuisten vind ik een antwoord: 'Maar *ik* ben veranderd. Toen al begreep ik dat het geen goeie indruk maakte, dat zwijgen, maar ja, net zestien, wat weet je dan van rechtbanken? Ik heb daar veel over nagedacht, want je kan hier weinig anders, er is geen afleiding of sport en de leraren zijn altijd ziek, overspannen of gewoon weggelopen, geen mens wil hier lang werken. Toen begreep ik wat ik had moeten doen: praten, uitleggen dat ik de verkeerde man had aangepakt, die student. Ik had mijn vader —'

'En dat ga je tegen de rechter zeggen?' Er is een lachje om haar mond. Geen spot, nee veel erger, medelijden. Het heeft geen zin kwaad te worden, ze is onverzettelijk. Wat bij Joop springerig en vloeibaar was, is bij haar gestold tot staal.

'Ik vrees dat ik je niet kan helpen, Ron. Alleen als er nieuw bewijsmateriaal is gevonden of de getuigen veranderen hun verhaal, dan... Bovendien, dit is niet het soort zaken waar ik echt goed in ben.'

'Maar *ik* heb een nieuw verhaal.'

'Jij bent geen getuige, Ron. Jij bent een dader.'

Eigenlijk zijn we dus al klaar. Over en sluiten. Ik wil nog zoveel zeggen. Ik heb me slecht voorbereid. Dacht dat alles vanzelf zou gaan, omdat ik Joop kende. En nu niks, in mijn hoofd de woede van het geweld. 'Als je het niet uit kan leggen, gaan je handen praten.' Uitspraak van mijn vader.

Toch slaat ze haar blocnote niet dicht, bergt haar balpen niet op. Ze blijft zitten. Ik moet iets doen, over Joop beginnen, *het* vragen. Ze moet hier blijven, tot elke prijs. 'Maar eigenlijk wilde ik het over iets heel anders hebben.'

'Ja?'

Nu. Je laatste kans. Zeg toch wat. Je moet haar desnoods *dwingen*. 'Is het eigenlijk moeilijk, advocaat worden?' (Wist ik maar hoe ze heette. Karin?)

'Wat zeg je, Ron?' Het klinkt vriendelijk. Ze herkent hulpeloosheid. Ze geeft me nog wat tijd want dan kan ze daarna met een gerust geweten dit nutteloze gesprek afsluiten, opbergen en vergeten.

'Of het moeilijk is, advocaat worden?'

'Het is geen moeilijke studie. Als zelfs ik het kan...'

Grapje, om de spanning te breken natuurlijk.

En opeens komt het terug, de vechtlust. Ik ga rechtop zitten, ze schrikt niet. Een harde. Dit is mijn laatste kans: 'Je leest weleens... In Amerika, in Amerika is het heel gewoon dat gevangenen studeren. Voor dokter of accountant. Of advocaat.'

Ze spitst de lippen, denkt na.

'Ik dacht... De havo had ik bijna af en ik lees veel. *De kleine geschiedenis van bijna alles*, drie keer gelezen. Het is alleen jammer dat er niks over rechten en rechters in staat. Maar ja, het is dan ook de geschiedenis van *bijna* alles, hè?'

Doorgaan, Ronnie, ze heeft haar plicht gedaan, zo meteen staat ze op en dan is alles voorbij. Je moet praten, jij moet haar overtuigen. 'Er zit hier een jongen, die volgt een cursus voor accountant. Hij mag drie keer in de week naar de avondschool. Dus het kan.'

'Het kan.' Erg overtuigd klinkt het niet.

'En je hebt ook nachtdetentie, dat je alleen 's nachts vastzit. Of elektronische beveiliging, zo'n ding om je enkel.' Ze reageert niet. 'Of een schriftelijke cursus.'

Ze schuift haar blocnote opzij, zegt: — kijkt snel op haar horloge — 'Misschien moet je daarmee beginnen, Ron.' Ze denkt vast: hoe kom ik zonder kleerscheuren van hem af?

'Het zijn allemaal mogelijkheden. Maar, waarom *advocaat*? Waarom niet monteur, of fitnesstrainer of zoiets? Iets wat niet zo lang duurt. Rechten, daar ben je gauw vier jaar mee kwijt.'

En opeens komen de woorden uit eigen beweging: 'Ik denk, ik weet zeker dat ik echt een heel goeie advocaat zou worden, want er is niemand die de jongens zo kent als ik. Ik weet wanneer ze eerlijk zijn en dat als zo'n jongen zegt: "Nu ga ik je iets vertellen wat ik nog nooit aan iemand verteld heb", dan weet je dat ze gaan liegen. En ik weet ook hoe ik ze moet verdedigen. Iedereen geeft altijd de schuld aan de ouders omdat ze ons verwaarloosd en vernederd en vals gemaakt hebben. Al die gezinnen waarin geweld heel gewoon is. Maar als de ouders de schuld hebben, waarom worden díé dan niet opgesloten in plaats dat ze ons vastzetten? Waarom?'

Ze geeft geen antwoord op mijn vraag. Weet het waarschijnlijk ook niet. Of het interesseert haar niet.

'Het is soms net of mensen over kleine dingen lang nadenken, maar de grote lijnen allang niet meer zien. Waarom worden we met een stel lotgenoten opgesloten in een streng gebouw? Omdat ze ons dan beter kunnen "behandelen"? Maar als een jongen zo'n behandeling moet betalen met het verlies van zijn vrijheid, dat slaat toch nergens op? Bovendien, behandelingen gaan niet door omdat de psycholoog er gauw genoeg van krijgt en zelfs als ze wel doorgaan: wat betekenen die paar uurtjes per week tegenover de "behandeling" die je bijna vierentwintig uur elke dag krijgt van je medegevangenen? Waar zijn we mee bezig, ja?'

Ik probeer haar blik te vangen, maar ze staart naar haar blocnote.

'Elke dag dat je opstaat besef je: ik ben slecht, daarvoor hebben ze me opgesloten. Wij zijn slecht. Wij hebben slechte dingen gedaan. Als je een puppy maar vaak genoeg slaat, wordt-ie vanzelf vals. Dat je vanzelf gaat geloven dat slechtheid je beroep is. En dat ze je laten geloven dat je dat beroep zelf gekozen heb. Als je niks klaar kan maken, maak dan maar dingen kapot. Daar hadden Joop en ik het vaak over. En dat we eigenlijk onszelf al veroordeeld hebben voor de rechter het vonnis voorleest. Je kon met Joop lachen en toch zei hij ook dingen waar hij vaak lang over had nagedacht, echt waar.

Maar ik, ik wil een beroep dat ik zelf gekozen heb, kan me niet schelen of het schriftelijk moet of met zo'n apparaatje aan mijn been naar de een of andere school. Ik wil bewijzen dat we niet allemaal zijn wat ze buiten over ons denken: stom uitschot, jullie hadden beter nooit geboren kunnen worden. En ik weet echt wel dat het moeilijk zal worden want ik heb geen benul van studeren: waar je je moet melden, waar je wetboeken kan kopen, waar de universiteit is en de klaslokalen. Of je er ook kan eten tussen de middag. En omdat ik dat allemaal niet weet, heb ik hulp nodig. Ik kan het niet alleen, helemaal in m'n eentje. Maar jij, jij hebt het allemaal meegemaakt, jij...' Ik moet stoppen, benauwdheid op mijn borst, het is te veel ineens. Ze zal schrikken, terugdeinzen, wegrennen.

Ze antwoordt zonder een moment van aarzeling dat ze me zal helpen, steunen. Ze maakt aantekeningen, ze zal informatie inwinnen. Er is zelfs een collega met een soortgelijke achtergrond, die gaat ze bellen. Ik hoor heel gauw van haar, we zullen contact houden, ze staat helemaal achter mijn plan: 'Het is een goed plan, Ron, je zult er indruk mee maken voor de rechtbank, echt waar.' ('Echt waar,' het is of ik opeens de stem van haar broer hoor.) Ze zal me begeleiden. Begeleiding op afstand, dat wel, want advocaten hebben een waanzinnig druk beroep, 'je weet niet waar je aan begint'.

Zo eindigt ons gesprek hoopvol, optimistisch, bijna vrolijk. 'Wát, alweer zo laat? De tijd vliegt.' En ze herhaalt nog eens de beloften die ook al in haar Hema-blocnote staan. Een warme handdruk bij het afscheid.

Maar waarom kan ik dan, als ik in de holle gang haar rug kleiner zie worden en het geluid van haar platte hakken wegsterft, waarom kan ik dan het gevoel niet kwijtraken dat ik haar nooit meer zal zien?

Dank

Dit boek had niet geschreven kunnen worden zonder de hulp en de informatie van de volgende personen en groepen: R. Appel, H. Bartels, L.-J. van den Bogaard, F. Candel, M. Claes, W. Doevendans, B. Haasbroek, A.-M. Hanekamp, H. Hoogstoevenbelt, Groep Kaapstad, Groep Kopenhagen, Groep Tabor, H. Lodewijks, S. Moonen, P. Flietstra, A. Ozturk, A. van Rossem, M. van San, H. Somer, T. Terborg, Y. Vuurmans, M. Wiznitzer.